Diccionario de
Términos
Ecológicos

M. Vicén Carreño
C. Vicén Antolín

Diccionario de

Términos Ecológicos

editorial Paraninfo

1996

© EDITORIAL PARANINFO, S.A.
  Magallanes, 25 - 28015 Madrid
  Teléfono: 4463350 - Fax: 4456218

    Diseño de cubierta:
© Montytexto, S.L.

Impreso en España
Printed in Spain

ISBN: 84-283-2296-1

Depósito Legal: M. 22.019.—1996

Preimpresión: Montytexto, S.L.

editorial **Paraninfo sa**   Magallanes, 25-28015 MADRID   (026/53/20)

VINCESGRAF. Castaño, 11. Políg. Ind. "El Guijar". Arganda del Rey (Madrid)

A la memoria de Félix Rodríguez de La Fuente, que enseñó a tantos a amar la naturaleza.

Índice

Abanico aluvial

Depósito de sedimentos propio de montañas con pendiente muy pronunciada, en cuyo vértice surgen corrientes de agua.

Abiótico

Lo que carece de vida.

Abisal

Perteneciente al abismo. Es la zona más profunda de los océanos y mares y a ella no llega la luz, pues se extiende a partir de los 2.000 m de profundidad. Su temperatura -4 °C aproximadamente- y salinidad se mantienen constantes, no hay corrientes marinas, ni vegetación autótrofa. La fauna de la zona abisal se ha adaptado, morfológica y funcionalmente, a esa situación.
La mayor profundidad se encuentra en fosa de Filipinas: 11.486 metros.

Abono

Materia que se añade a un terreno cultivado para aumentar su rendimiento y fertilidad.
Se da el nombre de abono de fondo al conjunto de todas las materias orgánicas y elementos fertilizantes de reserva del que podrán obtener fertilización las plantas durante largo tiempo. Se forma con abono orgánico, abonos nitrogenados, amoniacales, fosfatos y cloruro potásico. El llamado abono de conservación se forma por abonos orgánicos que se suministran a las plantas cada cierto número de años, o por abonos minerales que se echan anualmente.

Abundancia

Se entiende como abundancia de una especie en la biocenosis a la relación entre el número de individuos de esa especie (n) y el número total de individuos de la comunidad (N). Se expresa por la relación A= n/N.

Accidente nuclear

Consiste en una fuga no intencionada de material radiactivo que pone en peligro la vida de los seres vivos.
Para evitarlo son necesarias estrictas y carísimas medidas de seguridad y control, no sólo por parte de la empresa que utilice el material radiactivo sino de las inspecciones periódicas que debe realizar la Junta de Seguridad Nuclear. Los accidentes nucleares más famosos han sido los de Three Mile Island (Pensilvania) en 1979 y Chernobil (Ucrania) en 1986.

Accidente petrolífero

Es el vertido incontrolado de crudo al mar y el lanzamiento al espacio de gases producidos por su combustión incontrolada.

Al producirse un accidente petrolífero con el consiguiente vertido del crudo al mar, los efectos más inmediatos son: Se dificulta el intercambio de gases con la atmósfera, se impide el paso de la luz solar, si recubre a las aves les impide volar y sus plumas pierden las propiedades caloríficas e hidrófugas. Al transformarse en alquitrán puede ser ingerido y obturar conductos digestivos de especies marinas.

Se produce la pérdida del plancton y, por tanto, afecta al alimento de los peces; y la muerte o emigración de éstos afecta a las aves produciendo ruptura en la cadena trófica.

Dependiendo de las corrientes la marea negra puede afectar a la fauna profunda. Las aguas subterráneas también pueden verse contaminadas debido a la infiltración de aguas continentales.

Los grandes derrames de crudo en el mar: Guerra del Golfo Pérsico: 4-6 millones de barriles; Golfo de Campeche: 3 millones; Mar Caribe:1,6; Cabo de Buena Esperanza:1,6; Bretaña: 1,2; Islas Canarias: 800.000; Hawai: 714.000; Cornualles: 700.000; Bósforo: 600.000; La Coruña: 521.000 y Golfo de México 300.000.

Aceite doméstico

Este producto, tan habitual en la vida cotidiana, plantea un grave problema de contaminación, pues se calcula que casi unas 900.000 toneladas de aceite casero van al desagüe. Y así se forma en los ríos a los que son vertidas, una película que impide la oxigenación del agua, afectando a su capacidad autodepurativa.

Cuando los vertidos de aceite doméstico van directamente a una depuradora, ocasionan un descenso en el rendimiento de la depuración.

Aceite de automoción

El aceite de automoción usado supone en España 250.000 toneladas anuales, de las que unas 150.000 se vierten sin control. El MOPTMA delega en las Co-

munidades Autónomas el control de estos aceites y tiene intención de crear una ecotasa que permita financiar su reciclado. Este aceite usado es difícilmente biodegradable a la par que muy contaminante, pues un solo litro es capaz de contaminar 1.000.000 de litros de agua. El aceite de automoción puede utilizarse como combustible para generar altas temperaturas, una vez separadas las sustancias tóxicas y metales pesados que contiene. O bien puede reciclarse, una vez limpio y filtrado, como lubricante.

Acidez del agua

La acidificación es un proceso mediante el cual el pH desciende, por adición de un ácido. La acidez del agua se provoca por los óxidos de azufre que se oxidan e hidratan formando H_2SO_4. Las reacciones que tienen lugar son las siguientes: $SO_2 + 1/2\ O_2 \rightarrow SO_3$ // $SO_3 + H_2O \rightarrow H_2SO_4$. Si el agua ya es ácida, por el proceso $CO_2 + H_2O \rightarrow H_2CO_3$, y además se enriquece con el ácido sulfúrico, se provoca un compuesto absolutamente corrosivo.

Al aumentar el ácido se inhiben las bacterias que oxidan los ácidos.

Acidificación

Proceso mediante el que el pH de una sustancia desciende.

Ácido

Combinación química hidrogenada cuya propiedad fundamental es la de reaccionar con las bases originando sales.

Además tiene la propiedad de tener sabor parecido al vinagre, desprende hidrógeno al reaccionar con algunos metales y al reaccionar con una base se obtiene sal y agua.

Hay dos tipos de ácidos: hidrácidos, no contienen oxígeno y se forman con un halógeno (F, Cl, Br, I, At) e hidrógeno; y oxácidos, que se forman por la combinacion de oxígeno, hidrógeno y un no metal.

Ácido nítrico

HNO_3. Se forma en la atmósfera a partir del óxido de nitrógeno emitido por las centrales eléctricas, chimeneas industriales y escapes de coches. Es uno de los causantes de la lluvia ácida.

Ácido sulfúrico

H_2SO_4. Conocido desde la Edad Media como aceite de vitriolo, se obtiene industrialmente. Es un líquido incoloro, inodoro, denso y con fuerte sabor ácido. Fuertemente corrosivo y de aspecto aceitoso, al mezclarse con el agua desprende mucho calor. Se utiliza para obtener ácidos y sulfatos utilizables en agricultura, para depurar aceites, refinar petróleo y decapar metales.

A C M A

Programa de la Unión Europea de Ayudas Comunitarias para el Medio Ambiente.

Acreción

Aumento de tamaño por la adición de materiales externos.

Acuerdos internacionales

España ha suscrito, entre otros, los siguientes:
- Convenio internacional para la reglamentación de la caza de la ballena.
- Convenio internacional para la protección de los pájaros útiles a la agricultura.
- Convenio europeo para el establecimiento de la organización europea y mediterránea de protección de las plantas.
- Convenio internacional para prevenir la contaminación de las aguas del mar por hidrocarburos.
- Convenio internacional para la conservacion del atún del Atlántico.
- Convenio europeo para la protección de los animales en el transporte internacional.
- Convenio internacional sobre la responsabilidad civil por contaminación de aguas de mar por hidrocarburos.
- Convenio internacional sobre intervención en alta mar en casos de accidente que causen contaminación por hidrocarburos.
- Convenio de Viena para la protección de la capa de ozono.
- Convenio para la prevención de la contaminación marina provocada por vertidos desde buques y aeronaves.
- Convenio para la protección del mar Mediterráneo contra la contaminación.
- Convenio sobre la conservación de las especies terrestres migratorias.
- Convenio sobre la contaminación atmosférica transfronteriza a larga distancia.
- Convenio europeo para la protección de los animales utilizados en la agricultura.
- Convenio de Viena para la protección de la capa de ozono.
- Convenio europeo para la protección de los animales vertebrados para fines experimentales.
- Convenio sobre la prevención de la contaminación marina procedente de fuentes terrestres.
- Convenio sobre la prevención de la contaminación del mar por vertidos de desechos y otras materias.
- Convención sobre el comercio internacional de especies amenazadas de fauna y flora silvestres.
- Convención sobre la conservación de la vida silvestre y el medio natural en Europa.
- Convención sobre la conservación de los recursos vivos marinos del Antártico.
- Convención sobre la prohibición de utilizar técnicas de modificación ambiental con fines militares u hostiles.
- Convención sobre las marismas de importancia internacional, especialmente como hábitat de las aves acuáticas.
- Convención sobre pesca y conservación de los recursos vivos de alta mar.
- Protocolo sobre las zonas especialmente protegidas del Mediterráneo.

- Protocolo de Montreal relativo a las sustancias dañinas para la capa de ozono.
- Tratado Atlántico.
- Conferencia de Río de Janeiro.
- Convenio de Berlín sobre climatología y emisiones de gases.
  (Vid. Addenda legislativa).

Acuífero

Es toda formación geológica que dispone de material permeable saturado capaz de recoger cantidades notables de agua y que, en consecuencia, permite que sea tomada de forma natural de las fuentes o artificialmente mediante drenajes.

A D A M E

Asociación de Derecho Ambiental Español.

Adaptación

Capacidad que tienen los seres vivos de transformarse para sobrevivir en un medio. Si se adaptan, sobreviven y se reproducen; en caso contrario desaparecen. Un ejemplo notable de adaptación es el que tuvo lugar tras las pruebas nucleares en el atolón de Bikini.

A D E N A

Asociación para la Defensa de la Naturaleza. Es la delegación en España de WWF.

Aditivos alimentarios

Los aditivos son productos químicos que se añaden a los alimentos tanto para su elaboración como para su conservación. La Organización Mundial de la Salud y la Organización para la Agricultura y la Alimentación han elaborado un código alimentario que regula el uso de aditivos.
Se calcula que una persona de un país desarrollado consume al año unos 6 kilogramos de colorantes, conservantes y otros productos químicos.

La ingesta de aditivos sin que perjudique la salud se mide con el IDA (Vid.). Los aditivos más utilizados son conservantes, colorantes, saborizantes, emulgentes y espesadores.

He aquí la relación de algunos de los aditivos más usuales en nuestra alimentación: En el vino, un exceso de ácido sulfuroso; en las verduras, se conocen hasta 6.000 aditivos diversos para sostener y teñir, por ejemplo sulfato de cobre; en el pescado y mariscos, ácido bórico; en la leche, agua oxigenada y antibióticos para conservar; en el chocolate, grasas hidrogenadas en vez de cacao; en la mantequilla, grasas extrañas; en los huevos, colorantes que se añaden a los piensos para obtener un determinado color moreno en la cáscara; en el pan, aditivos que engordan la masa; en la carne, clenbuterol y hormonas engordantes; en los licores, alcohol no apropiado para el consumo humano; etc.

Algunos de los aditivos que se añaden en los procesos industriales a los alimentos pueden llegar a ser altamente peligrosos. Por ello se realizan pruebas inmunológicas basadas en los anticuerpos específicos (proteínas) para detectar antígenos de los causantes de contaminación. Los reactivos inmunológicos más habitualmente usados son los aplicados para la detección de la salmonela, los contaminantes de huevos o de listeria en carne y leche.

El control de alimentos tiene dos líneas de trabajo: a) evitar el fraude preservando la calidad. y b) detectar contaminantes. Los antimicrobianos naturales se degradan en los jugos gástricos, pero los antimicrobianos químicos son imposibles de eliminar por el organismo. De ahí el problema creado por pesticidas y herbicidas, dada su capacidad de provocar mutaciones genéticas y ser cancerígenos.

Aerobio

Es el ser vivo que necesita oxígeno para poder vivir; suele aplicarse más propiamente a las bacterias y a los protozoos.

Aerosol

Sistema en el que finas partículas sólidas coloidales se hallan dispersas en un gas. También se entiende como el conjunto de partículas líquidas y sólidas que se hallan en suspensión en el aire atmosférico, denominado aerosol atmosférico. Las concentraciones de los aerosoles, expresadas en su número por centímetro cúbico de aire son –medidos cerca de la superficie– del orden de 1.000 sobre los océanos, de 10.000 sobre los continentes y de cien mil sobre las grandes ciudades y zonas industriales.

Son fuentes generadoras de aerosoles: Los procesos de combustión, reacciones de los gases, dispersión de sólidos debido a la erosión, dispersión de soluciones (burbujas del mar), volcanes, etc. Son sumideros de los aerosoles: La sedimentación debida a la velocidad de caída de la partícula, su función como núcleos de condensación, etc.

Los aerosoles utilizados como propelentes salieron al mercado hacia 1950.

Agenda 21

Es uno de los documentos elaborados en la Cumbre de Río de 1992. Presenta el conjunto de proyectos de actuaciones con el fin de que el desarrollo sea sostenible social, económica y ambientalmente. Se basa en la premisa de que el desarrollo sostenible no es sólo una opción sino un imperativo, tanto en términos ambientales como económicos y en que la transición hacia un desarrollo sostenible, aunque sea difícil, es totalmente factible. La Agenda 21 entiende que deben considerarse como acciones prioritarias:

a) Revitalización del crecimiento con criterios sostenibles.

b) Una vida sostenible.

c) Núcleos de población.

d) Utilización eficiente de los recursos.

e) Análisis de los recursos globales y regionales.

f) Gestión de productos químicos y de residuos.

g) Participación y responsabilidad de las personas.

(Vid. Cumbre de Río de Janeiro).

Pero la Agenda 21 no adopta medidas contundentes respecto a cuestiones tan graves como: Transporte de residuos tóxicos, industrias biotecnológicas, vertidos radiactivos al mar, producción limpia, etc.

Agricultura

Conjunto de acciones que tienen como objetivo transformar el medio natural haciéndolo apto para el crecimiento de determinados vegetales. Ocupa el suelo más o menos temporalmente y produce una captación de frutos notablemente superior a la obtenida en la simple recolección silvestre. Exige la eliminación de la vegetación espontánea, la roturación de las tierras y, en su caso, la fertilización de las mismas.

Según su estructura el suelo cultivable se denomina:

- Arenoso: No retiene el agua y se expone excesivamente en la sequía.
- Calcáreo: La sequía es muy perjudicial y exige abono frecuente.
- Arcilloso: Tierra dura en verano y adherente en invierno, impermeable.
- Humífero: Se llama así al de tierra turbosa y embebida en agua, no propia para el cultivo.
- Completo: El que se compone de 80% de arena,10% de arcilla, 5% de carbonato cálcico y 5% de humus; tiene gran facilidad para conservar la humedad, permitiendo todos los cultivos y es de fácil laboreo.

La actividad agrícola se divide en tres apartados: horticultura, silvicultura y cría de animales domésticos.

Agricultura ecológica

Es todo proceso agrícola que renuncia al uso de productos químicos.

Los aspectos fundamentales que hay que tener en cuenta para justificar la agricultura ecológica son:

1. *Energía:* La agricultura ha pasado a ser una industria más entre las que dependen del gran monopolio de la energía. Y por ello va siendo cada vez más una fuente de dividendos para unos y cada vez menos una fuente de alimentos para el conjunto de la población.

Las plantas son esenciales para los animales, pues sólo ellas son capaces de almacenar la energía solar mediante la fotosíntesis y de fijar el nitrógeno atmosférico en compuestos de los que ellas y los animales pueden obtener energía. Todas las especies en flor dependen de ellos y de aves e insectos para su polinización.

2. *Aprovechamiento:* La alarmante subida de precios de los artículos alimenticios se debe a que algo falla en este proceso industrial. El problema del hambre en el mundo no es un problema de falta de alimentos sino de desigualdad en su distribución y deficiente aprovechamiento de los recursos. El carácter especulativo de los productos alimenticios agrava el poblema del hambre.

3. En los países avanzados, la agricultura depende cada vez más de industrias paralelas –productoras de abonos, maquinaria, plaguicidas, etc.– y, en consecuencia, del *petróleo.*

4. *Deterioro:* El uso indiscriminado de insecticidas ocasiona la muerte por falta de alimentos de muchos animales que se nutrían de insectos. El uso excesivo de fertilizantes destruye la diminuta fauna del humus, con la consiguiente repercusión en plantas y la consecuencia de tener que emplear más fertilizantes que sustituyan la acción de esta fauna. La degradación por contaminación directa a través de insecticidas no biodegradables va unida a su concentración a lo largo de la cadena alimentaria.

5. *Calidad frente a cantidad:* El deterioro del medio ambiente y la crisis energética ponen en cuestión la ideología del desarrollo basada en el expansionismo industrial, la concentración de la población y la política de crecimiento ilimitado. El retorno a la naturaleza precisa el soporte de nuevos sistemas de producción y un desarrollo menos cuantitativo y más cualitativo. La granja ecológica responde a este criterio. (Vid. granja ecológica).

La agricultura ecológica ni es utópica ni es nostálgica. En España la Administración no ha tomado postura clara respecto al tema y sólo el 0,8% de la superficie agrícola está dedicada a este tipo de trabajo, lo que supone unas 550 hectáreas; mientras que en Europa se dedican 160.000 hectáreas.

El CRAE (Consejo Regulador de la Agricultura Ecológica), aprobado en 1988 por el INDO (Instituto Nacional de Denominación de Origen), que puede ser instituido por cada Comunidad autónoma es el que debe certificar los productos procedentes de la agricultura ecológica.

Uno de sus grandes enemigos es la costumbre del *fast food.*

Agricultura extensiva

Es la que se da en zonas no necesariamente bien delimitadas y en las que no hay intención de obtener cosechas varias en un mismo año. No exige gran cantidad de abonos y el laboreo es escaso y distanciado cíclicamente. Se da en áreas inmensas de Australia, CEI, EEUU, etc. que permiten la introducción de maquinaria. El rendimiento es generalmente bajo y es propio de áreas de escasa presión demográfica que no demanda muchos productos agrícolas, o bien de zonas pobres con métodos de cultivo primitivos.

Agricultura intensiva

Es el tipo de cultivo -propio de zonas de gran presión demográfica que se traduce en demanda de productos agrícolas que se da en una superficie bien delimitada y que permite varias cosechas, lo que implica mucha labor de cultivo y gran cantidad de abonos. Las plagas se hacen más resistentes y hay que aumentar las dosis y concentración de pesticidas y plaguicidas, con lo que se esquilma la tierra hasta que no soporta más y se llega a un cultivo puramente químico.

Así ocurre que en los cultivos intensivos de Andalucía, Murcia, Valencia y Cataluña se consumen anualmente 80.000 de las 100.000 toneladas totales de pesticidas. Cuando llueve cantidades peligrosas de éstos alcanzan las aguas superficiales, las costas o se filtran.

A las continuas labores se añade el precio de los abonos y resulta que el producto obtenido es caro.

Se inicia en zonas que la benignidad del suelo y el clima lo permiten; pero acaba agotando al suelo.

Agricultura orgánica

Vid. Agricultura ecológica.

Agua

De fórmula H_2O, es un líquido incoloro, inodoro e insípido que está formado por 2 átomos de Hidrógeno y uno de Oxígeno, se congela a 0 °C y se evapora a 100. Ocupa el 71% de la superficie terrestre; la salada –de mares y océanos– supone el 97% del total; y en forma de hielo supone el 2% del total del agua que hay en la Tierra.

Hay que insistir en que el agua es un bien escaso y como tal exige una racionalización en su uso para consumo humano, agrícola e industrial –que es el sector que más consume–. Una quinta parte del agua dulce es subterránea y, después de haberse filtrado por las rocas, es ya rica en sales.

Pura –H_2O– no existe más que en laboratorio, es tóxica y muy poco útil.

En su ciclo natural está siempre transportando otras sustancias; la de lluvia puede llevar disueltas partículas hasta la proporción de doscientas partes por millón, y aun ésta es más pura que las de manantial, que pueden adquirir en un río hasta 700 ppm. de partículas, porque el agua es el disolvente universal.

Como agente geodinámico le corresponde al agua el 85% de la erosión y sedimentación, sólo el resto corresponde a la acción del viento.

El agua potable en España se rige por la Directiva Europea para consumo humano de agua, lo que habitualmente se conoce como agua de boca. En las plantas de tratamiento y potabilización se eliminan las partículas en suspensión mediante filtros, se eliminan los olores y se desinfecta con cloro.

En España –que dispone de 110.000 Hectómetros cúbicos de agua– llueve poco y mal, pues el 60% de la lluvia cae en un 30% del territorio.

Agua, ciclo del

El agua, por evaporación, pasa en forma de vapor a la atmósfera que, al enfriarse, lo condensa y lo devuelve a la superficie de la Tierra mediante precipitación. Otra parte del agua es absorbida por las plantas –por ósmosis– y animales –nutrición y bebida– que la reintegran a través de la transpiración, respiración, excreción, defecación, y descomposición de cadáveres.

Agua, Demanda de

Se estima que un ciudadano medio europeo consume aproximadamente: 3 litros de agua para cocinar y beber, más de 40 en el inodoro y 150 en higiene personal y de la casa. Si añadimos los 1.700 litros que le corresponden por agricultura, industria y servicios tendremos el total de los casi 2.000 litros de agua al día.

Pero a la vez hay que indicar que se estima que cada día mueren 25.000 personas por el uso de agua sin las debidas garantías.

200 millones de personas están afectadas de esquistosomiasis (infección cutánea por contacto con aguas contaminadas) y 500 millones padecen tracoma (causante de la ceguera) por carecer de agua limpia. Estos datos pueden dar una idea de la necesidad de agua en condiciones adecuadas que sufre la humanidad.

Agua dulce

Se denominan así a todas las aguas no marinas y representan sólo el tres por ciento de la totalidad. De éstas, el 79% es hielo, un 20 % es subterránea y el 1% restante son las aguas correspondientes a ríos, lagos, vapor atmosférico, humedad del suelo y la que forma parte de los seres vivos.

Deben destacarse del agua la siguientes particularidades: densidad de 1gr/cc a 4 °C y 1 atmósfera de presión, alta constante dieléctrica y elevado calor específico. En el agua dulce encontramos los siguientes componentes: Calcio, Ca^{++} (17%); Magnesio, Mg^{++} (3,34%); Sodio, Na^+ (3%); Potasio, K^+ (1,79%); Cloro, Cl^- (3,25%); Sulfato, $SO_4=$ (8,16%) y Ácido carbónico, H_2CO_3 (63,44%).

Agua pesada

Fue descubierta en 1932 y es un compuesto en el que el hidrógeno es sustituido por su isótopo pesado o deuterio. Recibe el apelativo de pesada por su mayor densidad. Como líquido es incolora, se emplea en las pilas de uranio por su efecto moderador de los neutrones, y en química nuclear al utilizarse los núcleos de deuterio como proyectiles.

Agua potable

Es limpia, incolora, y al contener gases y ciertas sales disueltas, le comunican un cierto sabor. Carece de microbios, que son eliminados mediante filtración o proceso químico. Si la cantidad de sales que lleva disueltas supone una proporción excesiva se habla de agua dura. Entre las sales más importantes que lleva disueltas se encuentran: cloruros, sulfatos, sales de calcio, nitratos, nitritos, sales de magnesio y anhídrido carbónico. 1.200 millones de personas en el mundo carecen de acceso al agua potable.

Agua salada

Se dice de aquella cuyo contenido en sales disueltas presenta una concentración superior a 10 gr./l.

Las sales se distribuyen así: 55,12% de cloro; 30,56% de sodio; 7,68% de sulfatos; 3,68% de magnesio; 1,17% de calcio y 0,40% de ácido carbónico.

Agua subterránea

O manto freático, es la capa acuífera subterránea y superficial; y se localiza en depósitos permeables superficiales como aluviones o derrubios de pie de monte, manteniendo un cierto equilibrio con la superficie del terreno. Responde a las variaciones climáticas, llegando incluso a aflorar en épocas de lluvia.

Aguas residuales

Son aguas que ya han sido utilizadas y por tanto están más o menos contaminadas por fertilizantes, biocidas, detergentes, metales, pinturas, lejías etc., por lo que es necesario tratarlas para que puedan volver a ser reutilizadas.

Son recogidas por el alcantarillado y se componen de agua sucia y sólidos procedentes de la industria o domésticos. Tienen altas concentraciones en agentes patógenos de origen fecal.

La composición de las aguas residuales urbanas es: coliformes fecales (1 millón /100 ml.), detergentes (20 ppm.), materia inorgánica disuelta (30 ppm.), materia inorgánica en suspensión (200 mg/l), materia orgánica disuelta (330 mg/l), materia orgánica en suspensión (400 mg/l) y DBO de 360 mg/l. Vid. DBO

Es necesario tratar las aguas residuales. Las aguas negras se someten a dos procesos de limpieza para volver a utilizarlas: En el primero de ellos, llamado primario o físico, se eliminan las partículas sólidas; y en el secundario o biológico se retiran los metales pesados, para posteriormente purificarlas y clorarlas. El tratamiento aerobio (introducción de microorganismos aerobios en el agua) permite reducir la DBO. A continuación se eliminan el nitrógeno y fósforo que contienen, único procedimiento para evitar la eutrofización de las aguas del lecho al que van los vertidos.

Las directivas de la Comunidad Europea exigen depurar el noventa y nueve por ciento de las aguas usadas que se vierten. En España actualmente sólo se depura el cuarenta y tres por ciento de las usadas en agricultura, industria y abastecimiento urbano.

A I E A
Agencia Internacional para la Energía Atómica.

Alcalinización
Adición de sustancias alcalinas para elevar el pH de una sustancia. Las tierras alcalinas son los óxidos e hidróxidos de los metales alcalino-térreos. Estos hidróxidos alcalinos son solubles en el agua, absorbiendo humedad del aire.

Alcalino
Se dice del suelo con pH mayor que 7,5.

Las rocas alcalinas poseen más del 10% de sosa y potasa y los metales alcalinos –francio, cesio, rubidio, potasio, sodio, litio– son blandos, de poco peso y muy activos.

Alcohol
Derivado de un hidrocarburo en el que se ha sustitutido uno o más hidrógenos por un grupo OH. Así, por ejemplo, del metano (CH_4) se obtiene el alcohol llamado metanol (CH_3OH).

Aldrin
Pesticida organoclorado con una vida media de 10 años, es extremadamente peligroso.

Alga
Planta acuática que posee clorofila y otros pigmentos. Las algas se utilizan para producir geles, cultivos microbianos, productos alimenticios o fertilizantres orgánicos. No tiene verdaderas raíces, tronco, ni hojas.
Vid. eutrofización.

Alimentaria, Cadena
Vid. Cadena trófica.

Alimento
Sustancia que proporciona al organismo el material necesario para su crecimiento, intercambio metabólico, constitución de reserva y generación de energía para sus funciones. Los alimentos fundamentales son: agua, minerales y principios inmediatos (hidratos de carbono, azúcares, lípidos o grasas y proteínas). Los alimentos contienen la energía como energía química contenida en los enlaces que unen los átomos de la materia.

Almacenamiento de residuos radioactivos
El almacenamiento es una de las soluciones adoptadas con el material radiactivo cuando ya ha sido utilizado para los fines que se pretendían. Las características clave que debe reunir un depósito de residuos de alta actividad, cuya vida media es de miles de años, son la impermeabilidad de la composición geológica donde se ubique y su estabilidad sísmica.

Aparte de los movimientos sísmicos, la amenaza principal es el agua, que penetra en cualquier formación rocosa y puede hacer aflorar elementos radiactivos a la superficie o arrastrarlos hasta los acuíferos subterráneos. Se han estudiado todo tipo de terrenos para poder almacenar los residuos radiactivos: La arcilla –muy impermeable, plástica y con gran capacidad de retención de iones– ocupa extensas regiones en Cataluña, Huelva, País Vasco, Madrid y Sevilla.

Por otra parte, los domos de sal -formaciones estables y autocicatrizantes- están presentes en Levante, País Vasco y Cataluña. El granito –formación sólida, estable y casi impermeable– se extiende de Galicia a Andalucía.

Los depósitos temporales (piscinas de las centrales nucleares donde se enfría el combustible utilizado) están cada vez más llenos. La Administración dispone sólo de veinte años para decidir dónde almacenar estos peligrosos residuos definitivamente, protegiendo a la vez el ecosistema.

Aluminio

Elemento químico metal, blanco, brillante, de poca densidad, maleable y muy oxidable. No se altera en el aire ni se descompone en el agua. Se disuelve con sosa y potasa formando aluminatos y resiste a la mayor parte de los cuerpos orgánicos; pero lo atacan los hidrácidos y oxácidos. Se utiliza en las industrias aeronáutica, automovilística y eléctrica como envolvente, y en los electrodomésticos.

A M A

Estas son las siglas de la Auditoría Medioambiental. El objetivo de una AMA es dar a conocer a la empresa la legislación y la información necesarias y suficientes sobre los mecanismos y soluciones técnicas y económicas que pueden ofrecerse en este terreno. Es una información a instancia de parte.

Se ofrece al empresario un conocimiento exacto en los siguientes aspectos: Legislación medioambiental que afecta a su empresa, grado de cumplimiento de la legislación por parte de la misma, riesgos derivados de su situación actual y responsabilidad jurídica pertinente. Además proporciona la identificación de soluciones técnicas y econó-

micas viables en el marco de la ley y suministra información para diseñar un plan de comunicación interno y externo.

Las fases de una Auditoría Medioambiental son:

1. *Análisis previo:* Identificar el problema, diagramar el proceso –personal, calendario, servicios, emergencia, riesgos– y diseñar el esquema de muestreo.

2. *Muestreo y valoración de los resultados analíticos:* Toma de muestras y determinaciones analíticas, análisis de los resultados.

3. *Fase de auditoría:*

• *SUBAMA técnica:* Análisis de materias primas, calificación y homologación de suministradores y de los puntos potencialmente contaminantes.

• *SUBAMA energética:* Determinación de fuentes de suministro energético, análisis del consumo de energía, diagramación del flujo energético, cálculo de la ratio energética y comparación con el sector estándar, diseño de mejoras en el ahorro y conservación energéticos.

• *SUBAMA legal:* Adecuación a las normativas próximas.

• *SUBAMA de seguridad e higiene:* Análisis de riesgos, registro e investigación de accidentes, planes parciales y generales de seguridad e higiene.

• *SUBAMA económico financiera:* Análisis de costes y ahorros.

• *SUBAMA administrativo-ambiental:* Plan de trabajo.

4. *Informe final.*

Aminoácidos

Sustancias orgánicas que son a la vez ácidos orgánicos y aminas –derivados del amoníaco–. Forman las proteínas esenciales en la vida del ser humano, intervienen en el metabolismo central y en la síntesis de productos secundarios y moléculas del tipo coenzimas, hormonas y neurotransmisores.

Amoníaco

NH_3. Gas soluble en agua que es absorbido por las plantas en forma de ión amonio. Las bacterias fijadoras de nitrógeno reducen el dinitrógeno atmosférico (N_2) a ión amonio.

El proceso de amonificación consiste en el enriquecimiento del suelo en amoníaco debido a la acción de los descomponedores sobre los cadáveres y los productos de desecho originados por el metabolismo de productores y consumidores.

Amplitud de tolerancia

La amplitud de tolerancia de una especie es el intervalo que hay entre los límites máximo y mínimo de tolerancia de los factores ambientales abióticos en los que se desarrolla dicha especie.

Amorfo

Se llama así a aquel sólido que está constituido por partículas sin regularidad en su ubicación.

Anabolismo

Fase del proceso metabólico que consiste en el conjunto de reacciones químicas que se dan en el ser vivo para sintetizar proteínas, ácidos nucleicos y polisacáridos.

Anaerobio

Se dice de todo proceso vital en el que no es necesario el oxígeno. También se dice del ser vivo que no lo necesita.

Animal, Clasificación del mundo

Vertebrados –peces, anfibios, reptiles, aves y mamíferos– e invertebrados, que a su vez se clasifican en: protozoos (rizópodos, mastigóforos, ciliados y esporozoos) y metazoos (esponjas, celentéreos, platelmintos, anélidos, nematelmintos, moluscos, artrópodos y equinodermos).

Anión

Ión con carga eléctrica negativa.

Antártida

Continente casi inexplorado por el hombre. Se encuentra a 1.000 km de Sudamérica y a 2.200 de Nueva Zelanda. Está cubierto de una capa hielo que llega a tener 4 km. de espesor, su temperatura varía de 15 a -89 °C, y su precipitación anual es de 303 mm.

Tiene una superficie de 14 millones de kilómetros cuadrados; su flora está formada por líquenes y musgos y la fauna por ballenas, elefantes y leones marinos, focas, pingüinos, morsas y aves marinas. Los peces de la Antártida pertenecen al suborden notohenioidea y disponen de moléculas anticongelantes.

El Tratado de la Antártida de 1959 para la protección de su ecosistema lo considera desmilitarizado y refugio de vida animal exclusivo para la investigación científica . Hoy el 80% de los países del mundo han firmado este Tratado. La Antártida es deseable económicamente por sus yacimientos de petróleo y minería y por su abundancia de krill. El Congreso de Madrid de 1991 del Tratado sobre la Antártida definió esta zona como reserva natural dedicada a la paz y a la ciencia.

Antibacteriano

Cualquier compuesto que impide el crecimiento de las bacterias, destruyéndolas.

Antibiosis

Es una relación biótica interespecífica por la que unos individuos no pueden vivir cerca de otros, pues éstos por secreción generan sustancias capaces de provocar la muerte de los primeros. La toxicidad de los antibióticos es selectiva. Ej: Hongos.

Antimicrobiano

Cualquier compuesto, natural o no, que destruye los microorganismos.

Antracita

Carbón mineral que contiene carbono en un 90%. Es duro y difícil de quemar, posee gran poder calorífico y se origina por haber sido sometida la hulla a las grandes presiones de las placas tectónicas y, en parte, por tranformaciones metamórficas. Su contenido en materias volátiles en inferior al 8%.

Arcilla

Silicato alumínico hidratado natural que al unirse al agua adquiere plasticidad y por calcinación se compacta. No es roca primitiva sino producto de descomposición.

Argón

Gas noble que se encuentra como componente normal de la atmósfera terrestre. En los cien primeros kilómetros supone un 1,28% de la masa atmosférica total. Es mucho más abundante en la atmósfera que el resto de los gases nobles. La razón es que el 99,7% del argón atmosférico es A^{40}, que es producto de la cadena radioactiva del K^{40} en la tierra sólida. Industrialmente se usa en bombillas de alta intensidad.

Armas nucleares

Aparte de la cuestión moral que plantea la existencia de armas en general y armas nucleares en particular, hay que señalar que los desechos de las armas nucleares suponen un grave problema de contaminación radiactiva.

En 1972 se firmó el SALT I (Tratado para la Limitación del Armamento Estratégico) con el fin de controlar el armamento nuclear. Este acuerdo y las posteriores Conferencias de Desarme sobre misiles de alcance medio, no impidieron que en 1988 el arsenal nuclear mundial supusiera 25.000 cabezas nucleares estratégicas a las que habría que añadir las armas nucleares de medio alcance.

Hoy se estima que el armamento nuclear implica 1.310 toneladas de uranio y 257 toneladas de plutonio.

En el mar hay material radiactivo –Estroncio 90, Cesio 137, Plutonio 239 y 240– procedente de pruebas nucleares. Los radionucleidos de origen artificial en los océanos son el 0,1%. En Octubre de 1991 se aprobó la moratoria de pruebas atómicas y el acuerdo START-3 sobre reducción de armas estratégicas está en vías de aprobarse.

La antigua marina soviética –rusa ahora– ha lanzado al mar 18 reactores nucleares de buques y submarinos, con una radiactividad de 2,3 millones de curios.

Antes del año 2.000 se cree que serán desmantelados en Rusia unos 300 reactores nucleares procedentes de la flota de submarinos.

No sólo es, pues, el peligro de guerra el que todos se apresuran a controlar y rechazar, sino el peligro de los desechos.

Arquitectura bioclimática o ecológica

Es una necesidad que se va imponiendo si se quiere minimizar el consumo de energía.

Se trata, con este tipo de viviendas, de reducir al máximo las radiaciones ionizantes –electricidad estática y ondas electromagnéticas generadas por tendidos eléctricos y electrodomésticos– e incorporar a las construcciones materiales duraderos, naturales, no tóxicos, ecológicos; evitar barnices, pinturas y materiales tratados con productos cancerígenos o emisores de radiaciones. A la vez, se intentan minimizar los efectos negativos de la climatología aprovechando los aspectos positivos, contemplar el aprovechamiento y almacenamiento de la radiación solar disponible, aislar para evitar cambios bruscos de temperatura, minimizar las pérdidas energéticas y emplear sistemas energéticos eficientes y alternativos.

Los principios básicos de la arquitectura bioclimática son:

1.- Situación, estudio detallado de los mantos freáticos sobre los que se asienta la edificación.

2.- Aislamiento térmico, que implica ahorro; pero prestando atención a los aislantes, dado que se sospecha que algunos de ellos sean cancerígenos.

3.- Arquitectura de la fachada y distribución de los espacios interiores.

4.- Atención especial a los materiales utilizados en tuberías, canalones, revestimientos exteriores, tabiques interiores, tejados, muros cortina, tubos para cables y paneles.

5.- Insolación, tanto en invierno como en verano

6.- Orientación.

7.- Estudio de los aditamentos colindantes que mejoran, protegen o modulan; por ejemplo, árboles.

Sin embargo se plantean algunos problemas:

1.- Los elementos y materiales aislantes para evitar ganancias o pérdidas de calor que permitan el confort térmico, son en general contrarios a las necesidades lumínicas –materiales opacos de gran inercia térmica–, y viceversa –grandes huecos permeables al flujo luminoso–.

2.- La orientación directa a la radiación solar produce deslumbramientos y variaciones excesivas de luminosidad, que se suman a los problemas de control producidos por la incidencia de dicha radiación sobre el interior.

3.- La calidad y uniformidad de la iluminación que proviene fundamentalmente de la orientación Norte es contraria a la adecuación para el confort térmico de dicha orientación.

Arreismo

Característica de un área en la que no es posible un avenamiento natural, debido a que confluyen dos circunstancias: Clima seco y rocas muy permeables. Y en general se considera como arreísmo la carencia de una red hidrográfica permanente.

Arsénico

Elemento análogo al fósforo, sólido que al contacto con el aire se oxida pudiendo inflamarse. El anhídrido arsenioso es un veneno que carece de olor y sabor. Se usa como insecticida y es muy peligroso por su toxicidad.

Asociación colonial

Relación biótica intraespecífica formada por individuos originados por reproducción asexual a partir de un progenitor común. Puede ser homomorfa –cuando todos los induividuos de la colonia son iguales– y heteromorfa –cuando los individuos son distintos–. Ej.: Medusas.

Asociación estatal

Es una relación biótica intraespecífica que se da entre grupos de individuos diferenciados anatómica y fisiológicamente y que mantienen entre sí una relación jerárquica. Ej.: Abejas.

Asociación familiar

Relación biótica intraespecífica entre los progenitores y descendientes y puede ser de varios tipos: parental (los progenitores y la descendencia), matriarcal (hembra y descendencia), filial (sólo los descendientes), monógama (un macho y una hembra), polígama (un macho y varias hembras) y poliándrica (una hembra y varios machos). Ej.: Aves.

Asociación gregaria

Se dice de la relación biótica intraespecífica formada por grupos de individuos que viven en común durante un cierto tiempo por razones de defensa, migración o alimentación. Ej.: Bancos de peces.

Asociación territorial

Aquella relación biótica intraespecífica debida a la tendencia que tienen los individuos de una especie a ocupar un determinado lugar para refugio, alimentación y reproducción y defenderlo frente a otros individuos de la misma especie. Ej.: Leones.

Astenosfera

Capa de baja velocidad de las ondas sísmicas en la parte superior del manto terrestre. Sobre ella está la litosfera.

Atmósfera

Envoltura gaseosa que rodea a la Tierra, teniendo su máxima densidad justo encima de la superficie sólida y haciéndose gradualmente más delgada al distanciarse de la supericie, hasta que se hace finalmente indistinguible del gas interplanetario. Un 76% de la masa es nitrógeno y un 23 % oxígeno; el 1% restante lo forman argón, vapor de agua, dióxido de carbono, neón, helio, kriptón y ozono. La atmósfera actúa como filtro de las radiaciones solares.

Atendiendo a su altura respecto a la superficie de la Tierra su perfil vertical puede ser dividido en cuatro partes: troposfera, estratosfera, mesosfera, y termosfera.

Y atendiendo a criterios de homogeneidad de sus componentes, la atmósfera se divide en homosfera (hasta 100 km.), heterosfera (100-500 km.) y exosfera (altura superior a 500 km.).

En la atmósfera baja la temperatura desciende 6,5 grados por cada km de altitud.

Autóctono

Propio de un determinado lugar.

Autoecología

Estudio de las relaciones de una especie con su medio ambiente y sus pautas de comportamiento.

Automóvil

Cada año se fabrican unos 35 millones de coches. A los costes internos del coche –precio que abona el usuario– hay que sumar los externos, que corren a cargo de toda la sociedad y que llegan a suponer a veces el 2,5% del PIB en muchos países. Un usuario que utiliza el coche en hora punta con un atasco genera un coste a todos los que circulan en ese momento en concepto de tiempo perdido cuatro veces más que el gasto real que implica el desplazamiento en coche.

Es un bien cada día más en discusión por los problemas que ocasiona: accidentes –120.000 muertos y 2 millones de heridos cada año–; destrucción del paisaje –hay aproximadamente unos 25 millones de kilómetros de superficie terrestre asfaltada, con las consiguientes pérdidas para la flora y la fauna–; contaminación generalizada y gasto abusivo de energía que irá en aumento, ya que si hace 25 años había en el mundo 245 millones de vehículos se calcula que para el año 2000 habrá unos 800 millones.

Hasta el año 1970 no aparecieron las primeras reglamentaciones limitando las emisiones de sustancias nocivas por los automóviles.

Hay que tener en cuenta no solamente la emisión de gases por los escapes sino también la evaporación del combustible. Para control de las emisiones de gases de vehículo se investiga en: Sistemas de deceleración y de recirculación de gases de escape, motores de carga estratificada, sistemas Man Air Ox, reactores térmicos y catalizadores.

Y por lo que se refiere a la evaporación se investiga en: Recuperación del vapor de los camiones cisterna, recuperación de vapores en las estaciones de servicio mediante el uso de surtidores especiales, eliminación de pérdidas en la carga de los camiones cisterna, etc.

El abuso del coche produce deterioro del paisaje, por la construcción indiscriminada de infraestructuras viarias. A

nivel local los efectos del transporte son la contaminación, el ruido y las vibraciones. Los coches de más de 2.000 cc. ya deben llevar incorporados catalizadores en los tubos de escape. Éstos oxidan el CO a CO_2, reducen los NOx a N_2 y oxidan los hidrocarburos a CO_2 y H_2O.
Los catalizadores hacen aumentar los hollines y benzopirenos; aunque se investigan mejoras en este sentido.

Autótrofo
Ser vivo que produce su propia materia orgánica a través de procesos químicos o fóticos –quimiótrofo o fotótrofo–. Se dice de las plantas con clorofila que toman la energía luminosa y sintetizan sustancias orgánicas a partir del dióxido de carbono de la atmósfera y de las aguas y sales minerales del suelo.

Ave
Vertebrado, homeotermo, de respiración pulmonar, ovíparo, pico córneo, con alas adaptadas para el vuelo y extremidades posteriores para la marcha. Está cubierto de plumas y su aparato circulatorio es semejante al de un mamífero con un sistema nervioso complejo. Vive en manadas, muchas de ellas migratorias. Existen unas 10.000 mil especies y la ordenación taxonómica resulta sumamente difícil debido a su fuerte homogeneidad. Hay tres grupos fundamentales: ratites (alas rudimentarias; avestruz), impennes (miembros anteriores de aleta; pingüino) y carinadas (voladoras).

Avenar
Proporcionar una salida al exceso de agua de un terreno. Es propio de terrenos sin pendientes e impermeables.

Ayuda alimentaria
Vid. Revolución verde.

Azufre
Está presente en la atmósfera en forma de ácido sulfúrico y dióxido de azufre. El dióxido de azufre (SO_2) está de forma natural en la atmósfera, procedente de volcanes, descomposición de materia orgánica, etc. Se halla en ciertos aminoácidos y es fundamental para las proteínas.
Acidifica las aguas, inhibe la acción de la clorofila, disuelve sustancias esenciales para la nutrición de las plantas, altera la acidez del suelo en 1 m. de profundidad. Solubiliza los metales del suelo que serán arrastrados por el agua produciendo desmineralización y disgrega las rocas calcáreas.
Puede eliminarse en el mismo proceso de combustión del carbón añadiéndole un sorbente del tipo caliza o dolomita, que originará sulfato de calcio y magnesio que son inertes y quedan en las cenizas. También se puede reducir la emisión de SO_2 tratando los gases resultantes de la combustión mediante una corriente de agua con reactante. Como sorbentes se pueden usar hidróxidos, carbonatos o bicarbonatos de sodio o calcio.
La OMS denuncia que 625 millones de personas están expuestas a niveles insalubres de SO_2 y más de 1.000 millones a niveles excesivos de partículas en el aire.

Bacteria

Microorganismo unicelular procariota –no tiene un núcleo diferenciado–. Es lo más primitivo de la escala de seres vivos y también lo más resistente y se da en todos los hábitats.

Las bacterias son de multiplicación muy rápida y viven a expensas del medio y del organismo al que han invadido. Pueden ser aerobias o anaerobias. Son agentes de fermentación y putrefacción y transforman las materias orgánicas en gas y sustancias inertes que pueden volver al ciclo natural, fijan el gas atmosférico y fijan el nitrógeno en el suelo dándolo a los vegetales. Suelen usarse en el tratamiento de aguas residuales.

Balance ecológico

Consiste en valorar en su totalidad todos los factores relevantes para el medio ambiente que pueden aparecer a lo largo del ciclo completo de la vida de un producto, desde el principio hasta el final. En este balance se comprueba, en cada etapa, la compatibilidad del producto con el aire, el agua y el suelo, valorándolo como bueno o malo. El balance ecológico debe comprender realmente todo: Desde la disponibilidad de la materia prima, pasando por el tipo y gasto de energía necesaria para su fabricación, los medios de transporte y la utilidad y durabilidad del producto-hasta la evacuación o, mejor dicho, hasta la calidad del reciclaje.

Los balances deben indicar si una materia es superior, igual o inferior a otra.

Balance energético

Determinación analítica de los aportes y pérdidas de energía. Su resultado nos indicará la eficiencia de un sistema.

Basalto

Roca volcánica con feldespato y otros minerales, con coloración verdosa o parda.

Base

Compuesto formado por un metal y el grupo oxidrilo OH; es decir, hidróxidos. Reacciona al combinarse con un ácido formando sal y agua.

Basura doméstica

Residuo generado en la vivienda del ser humano. En España se producen habitualmente unos 214 kilogramos por persona y año, siendo su composición la siguiente: materia orgánica, 44,09%; papeles y cartones, 21,16%; plásticos, 10,57%; vidrios, 6,88%; metales férreos, 3,34%; metales no férreos, 0,78%; madera, 0,96%; textiles, 4,82%; pilas y baterías, 0,16%; gomas y caucho, 1,02%; otros, 5,90%.

Bentos

Seres vivos que viven sobre los fondos marinos o lacustres: Caracoles, equinodermos, crustáceos.

Bioacumulación

Es la concentración de polutantes en organismos vivos ingeridos a través del agua o de los alimentos. Los principales son los herbicidas, insecticidas y metales. Se concentran en los tejidos graso y óseo.

Biobins

Son biocontenedores especiales para la recogida de residuos orgánicos, con exclusión de cualquier otro tipo de residuos.

Biocenosis

Conjunto de las poblaciones de seres vivos localizadas en un determinado lugar y los factores ambientales bióticos. Se llama también comunidad. El análisis de una biocenosis implica el estudio de la abundancia, diversidad, dominancia y estratificación de las especies.

Biocida

Destructor de la vida. Producto químico que mata seres vivos. Pueden contemplarse tres tipos: Insecticidas, herbicidas y fungicidas.

Bioclástico

Roca o sedimento formados por los restos de organismos.

Bioconversión

Transformación de una forma de energía a otra mediante la acción de plantas o microorganismos.

Biodegradable

Propiedad de una sustancia química compleja por la que se descompone en otras sencillas mediante procesos naturales. Los productos son descompuestos por la degradación llevada a cabo mediante organismos vivos en sus constituyentes químicos.

En otro sentido, se entiende como biodeterioración el cambio –mecánico, físico, químico, etc.– producido en las propiedades de los materiales no biológicos mediante la actividad biológica de ciertos organismos.

Biodiversidad

Dice el aforismo que la naturaleza aborrece el vacío y por ello la heterogeneidad espacial permite que se pueda dar un sostenimiento equilibrado del clímax de todas las diversas especies.

Se ha definido la biodiversidad como la variabilidad de organismos vivos de toda clase en los ecosistemas terrestres, marinos y otros ecosistemas acuáticos, y los complejos ecológicos de los que forman parte. Ello incluye la diversidad en los ecosistemas, entre especies y dentro de las especies.

En un ecosistema se desarrollan y viven especies distintas que mantienen relaciones interespecíficas.

Sólo unos hábitats heterogéneos pueden permitir la permanencia de diversas múltiples especies, siendo la contaminación uno de los enemigos más fuertes de la biodiversidad.

El Convenio sobre la Biodiversidad aprobado en la Cumbre de Río defiende que: "Conscientes de la importancia de que la biodiversidad constituye un bien e interés común para la humanidad:

1.-Los Estados tienen derechos soberanos sobre sus propios recursos biológicos y son reponsables de su conservación.

2.-Es necesario prevenir cualquier causa de reducción significativa.

3.-Es necesaria la conservación in situ de los ecosistemas.

4.-Reconocen la necesidad de unos recursos financieros especiales para proteger la biodiversidad.

5.-Se pretende también conservar y explotar de una manera sostenible la diversidad biológica para el bien de las generaciones presentes y futuras."

En consecuencia se plantean estos objetivos:

1.- Conservación de la biodiversidad.

2.- Aprovechamiento sostenible de sus componentes y la distribución justa y equitativa de los beneficios procedentes de la utilización de los recursos genéticos mediante, entre otras cosas, el acceso adecuado a los recursos genéticos y la transferencia adecuada de tecnologías pertinentes. Teniendo para ello en cuenta todos los derechos sobre estos recursos, las tecnologías pertinentes y un financiamiento adecuado.

Biogás

Combustible, mezcla de metano y dióxido de carbono junto a otros gases en menor proporción, obtenido por fermentación anaerobia de materia orgánica.

La digestión anaerobia o fermentación bacteriana anaerobia supone una descomposición de los productos orgánicos de desecho produciendo metano y dióxido de cabono, que forman el biogás.

Por ello este tipo de fermentación bacteriana anaerobia es utilizado para tratar fangos residuales. El biogás producido tiene un valor calorífico de unos 20 kJ/l. 1 kg. de materia orgánica es capaz de producir medio m^3 de gas.

Biogénesis

Formación de seres vivos a partir de otros seres vivos.

Biogeocenosis

Conjunto de interacciones que se dan entre la vida y la tierra.

Biología

Ciencia que estudia los seres vivos. Tiene dos ramas importantes: Botánica y Zoología. Sus campos de trabajo propios son: Agricultura, anatomía, citología, ecología, embriología, endocrinología, etología, fisiología, histología, paleontología, patología y zootecnia.

Bioluminiscencia

Capacidad que poseen ciertos animales para producir luz. Se da en aquellos que viven en zonas afóticas, terrestres o marinas, y ello les permite tanto atraer presas como desorientar a sus predadores.

Bioma

Notable comunidad ecológica que ocupa amplias regiones de la Tierra. Fundamentalmente se pueden considerar tres amplios biomas:

• Terrestre: Tundra, bosque boreal de coníferas, bosque caducifolio templado, pradera templada, pradera y sabana tropicales, chaparral, desierto, bosque tropical semiperenne y publiselva tropical perenne.

• Marino: Bioma nerítico –plataforma continental–, bioma pelágico –océano abierto–, zonas de afloramiento y estuarios.

• Dulceacuícola: Lénico –de aguas quietas–, lótico –de aguas corrientes– y zonas húmedas .

A estos habría que añadir los ecosistemas resultado de la intervención humana: Urbanos, industriales, vías de comunicación y agrosistemas.

Biomagnificación

Aumento progresivo de la concentración de contaminantes a lo largo de una cadena trófica, llegando hasta los últimos eslabones de la misma.

Biomasa

1: Cantidad de materia orgánica por unidad de superficie en un ecosistema determinado. 2. Masa de todos los organismos que constituyen la biocenosis de un ecosistema o energía química que almacena. Se expresa en gramos –de peso fresco, de peso seco o de carbono– o en calorías por unidad de superficie o volumen. Vid. Energía de biomasa.

Biopesticida

Cualquier pesticida cuyo principio activo es una bacteria, hongo o virus.

Bioquímica

Ciencia que estudia la composición química de los seres vivos y los fenómenos químicos que se dan en su desarrollo y comportamiento.

Biosfera

Capa más superficial de la Tierra y en la que pueden distinguirse: Troposfera, hidrosfera y la parte superior de la litosfera, donde se desarrolla la vida. También se denomina como biosfera al conjunto de los seres vivos.

Biotecnología

La Convención para la Biodiversidad define la biotecnología como cualquier aplicación tecnológica que utilice sistemas biológicos, organismos vivos o sus derivados para crear o modificar productos o procesos para un uso específico.

Biótico

Relativo a la vida.

Biotipo

El conjunto de individuos que poseen el mismo genotipo. Constancia de ciertos caracteres que sirven para poder individualizar a un grupo.

Biotopo

Conjunto formado por el medio, factores ambientales abióticos y el sustrato. Es la parte abiótica del ecosistema. El ámbito del biotopo es el mismo del ecosistema y viene determinado tanto por la extensión de la biocenosis -parte biótica- como por las barreras geográficas.

Bosque

Biotopo ocupado fundamentalmente por masa arbórea. Se suelen señalar cuatro grandes tipos: Bosque caducifolio templado, bosque boreal, bosque esclerofilo mediterráneo y selva tropical. El problema de los bosques está en relación con toda la gama de problemas y oportunidades en el contexto del medio ambiente y el desarrollo, incluido el derecho al desarrollo socioeconómico de forma sostenible.

Los problemas y oportunidades relativas al ámbito de la silvicultura han de ser examinados con un criterio holístico y equilibrado en el contexto general del medio ambiente y el desarrollo, teniendo en cuenta dos aspectos:

1. Los múltiples usos y funciones de los bosques, incluidos los usos tradicionales, y los probables problemas económicos y sociales que se plantean cuando estos usos son limitados o restringidos.

2. Las posibilidades de desarrollo que puede ofrecer la ordenación sostenible de los bosques.

El bosque de todo tipo contiene procesos ecológicos complejos y singulares que constituyen la base de su capacidad, tanto actual como potencial, para proporcionar recursos capaces de satisfacer las necesidades humanas y los valores ambientales. Por ello, su ordenación y conservación tradicionales han de preocupar a los Gobiernos de los países donde se encuentran y a la comunidad mundial dado que son valiosos tanto para las comunidades locales como para el medio ambiente en su totalidad.

Son, en definitiva, indispensables para el desarrollo económico y el mantenimiento de todas las formas de vida.

La pérdida del bosque deja a la tierra a merced de lluvias y vientos que la erosionan. En la Comunidad Europea la superficie forestal cubre 1/4 de su extensión.

Bosque templado

Bioma terrestre que puede subdividirse en monzónico, caducifolio templado, esclerofilo de tipo mediterráneo y de coníferas.

- Monzónico: Propio de áreas con una larga estación cálida de lluvias y otra seca y fría. Está formado por grandes árboles con estrato arbustivo y abundancia de epifitas.

- Caducifolio templado: Región templada con clima oceánico, precipitaciones regulares y alternancia de estaciones. Tiene árboles de hoja caduca (roble, olmo, haya, fresno, etc.) y suelo rico en humus.

- Esclerofilo de tipo mediterráneo: Árboles de hoja perenne propias de verano seco y caluroso e inviernos suaves. La masa verde distingue tres estratos: Arbóreo –encina, alcornoque, pino–, arbustivo –madroño, lentisco, jara– y herbáceo –plantas herbáceas y rastreras–

- De coníferas: Propio de áreas continentales entre 45 y 70 °C grados de latitud, con abundancia de abeto, pino, alerce, abedul y chopos.

Botánica

Ciencia que se dedica al estudio de los vegetales.

Cadena trófica

También llamada cadena alimentaria, es la sucesión de los distintos seres vivos en que uno de ellos se alimenta de otro. Su primer eslabón son los autótrofos. Un ejemplo: flor-mariposa-araña-pájaro-ave de presa.

Una cadena trófica es, pues, la forma en que un ser obtiene la materia y la energía. Los niveles tróficos fundamentales son los siguientes:

1.- Productores, autótrofos: Aquellos que mediante la fotosíntesis sintetizan materia orgánica a partir de materia inorgánica: Árboles, arbustos, hierbas.

2.- Consumidores primarios, heterótrofos: Aprovechan la energía química almacenada en la materia orgánica de los productores: Invertebrados herbívoros, vertebrados herbívoros y vertebrados omnívoros.

3.- Consumidores secundarios, heterótrofos: Se alimentan de los consumidores primarios: Invertebrados carnívoros, vertebrados carnívoros.

4.- Descomponedores: Se alimentan de los restos orgánicos de los seres de niveles anteriores: Bacterias y protozoos.

5.- Transformadores: Algunos tipos de bacterias que transforman los compuestos inorgánicos anteriores en sustancias aprovechables por los productores.

Las proporciones entre las corrientes de energía en diversos puntos a lo largo de la cadena de los alimentos revisten un interés ecológico considerable. Dado que la noción de estabilidad en un ambiente fluctuante se opone a la deficiencia, se deduce de ello que la existencia de un gran número de niveles tróficos es más probable con una composición estable de las comunidades. En la práctica, cada ecosistema alcanza la proporción adecuada de ambas cualidades que podemos llamar adaptabilidad y persistencia.

Cadispa

Programa de W W F para la conservación y desarrollo en áreas rurales. Cofinanciado por la Unión Europea. Trabaja fundamentalmente en las islas Hébridas, Norte de Escocia, Calabria, Pirineo Aragonés Occidental, Pirineo Leridano, Grecia y Portugal. Es un proyecto de educación ambiental a todos los niveles con el fin de concienciar a la población sobre el medio ambiente, promoviendo y encauzando iniciativas sociales de protección.

Cadmio

Metal blanco que suele presentarse junto al cinc. Dúctil, brillante, parecido exteriormente al estaño y que apenas se altera en contacto con el aire. Se disuelve en los ácidos formando sales. La inhalación de sus vapores es tóxica, afectando al aparato respiratorio y digestivo. Se utiliza en catalizadores y barras de control de reactores nucleares y como protector de metales contra la corrosión.

Caducifolio

Árbol de hoja caduca; la pierde durante una parte del año. Ej.: ailanto.

Calcáreo

Es aquel terreno cuyo componente predominante es el carbonato cálcico.

Calentamiento

Elevación paulatina de la temperatura de la tierra, debida al efecto invernadero. En el último siglo la temperatura media de la Tierra ha aumentado entre 0,3 y 0,6°C y se calcula que a finales del siglo XXI aumentará entre 1,5 y 4,5°C. En consecuencia, la subida de las aguas oceánicas oscilará entre los 22 y los 115 cm con las consecuencias que pueden imaginarse: Podría comportar beneficios en las zonas agrícolas de latitudes medias y en las partes septentrionales de Canadá, Escandinavia, Rusia y Japón, y en las meridionales de Chile y Argentina. Pero a la vez sería perjudicial para las zonas semiáridas subtropicales y la cuenca mediterránea.

La FAO estima que la concentración de dióxido de carbono causante del efecto invernadero estimulará la fotosíntesis de ciertos vegetales. Las plantas más beneficiadas por estos cambios climáticos serán las leguminosas, algodón, arroz, trigo, mandioca, soja y patatas si y sólo si se dan ciertas condiciones de luz, agua y nutrientes. Además esta emisión de dióxido de carbono permitiría mejor aceptación de la salinidad y resistencia frente a enfermedades y parásitos.

Es decir, que a nivel mundial puede implicar el desplazamiento de las zonas agrícolas. No hay duda de que estos beneficios, aparentes o no, provocarían de paso un cambio en la opinión pública que aparece hoy muy preocupada con el tema del calentamiento.

Otra consecuencia del calentamiento será quizás la modificación de los caudales máximo y mínimo de las corrientes de agua, con consecuencias económicas y ecológicas en zonas agrícolas y urbanas, lo que implicará una revisión de planes de distribución de cultivos, regularización del curso de los ríos, distribución de recursos hídricos y nuevo modelo de explotación de las capas freáticas.

Cambio climático

Los cambios climáticos se han producido siempre, sucediéndose períodos de glaciación y calentamiento. Lo importante no es la cantidad total de insolación sino la insolación en las regiones polares durante el verano.

La Declaración de Río entiende que siendo el sistema climático la totalidad de la atmósfera, la hidrosfera, la biosfera, la geosfera y sus interacciones, se produce un cambio climático cuando hay un cambio de clima atribuido directa o indirectamente a la actividad humana que altera la composición de la atmósfera mundial y que se suma a la variabilidad natural del clima observada durante períodos de tiempo concretos.

Los efectos adversos del cambio climático se entienden como los cambios en el medio ambiente físico o en la biota, resultantes del cambio climático que tienen efectos nocivos considerables sobre la composición, la capacidad de recuperación, sobre la productividad de los ecosistemas naturales o sujetos a ordenación, sobre el funcionamiento de los sistemas socio-económicos y sobre la salud y el bienestar humanos.

El Convenio del cambio climático firmado en la Cumbre de Río tiene la pretensión de reducir para el año 2.000 las emisiones de dióxido de carbono al nivel en que se encontraban en 1992. No sólo se refería a emisión de gases en ciudades e industria sino también a la agricultura, dado que los fertilizantes y el ganado son grandes productores de metano.

Cañadas ganaderas

Son corredores ecológicos que constituyen un auténtico ecotono. El Concejo de la Mesta organizó desde 1273 la trashumancia determinando el número de animales de cada especie -lanar, caprino, caballar, etc.- que debía componer cada rebaño.

Las cañadas ganaderas evitan el aislamiento genético de las especies, mantienen migraciones de la fauna salvaje ibérica, protegen los paisajes, mantienen razas autóctonas, favorecen el desarrollo económico de zonas rurales deprimidas e impiden la tala y roturación indiscriminada.

La proteccion de las cañadas es uno de los objetivos del Fondo Patrimonial Natural Europeo (Proyecto 2.001), cuyo objetivo fundamental es recuperar la trashumancia, mantener los pastos y fomentar el turismo verde.

Las cañadas ganaderas fundamentales son tres: leonesa, segoviana y manchega.

Capa de ozono

El noventa por ciento del ozono libre en la estratosfera se encuentra entre los 15 y los 30 kilómetros de altura, dándose la mayor concentración a una altura de unos 25 kilómetros.

La energía de un fotón de radiación ultravioleta (UV) se invierte precisamente en disociar la molécula de ozono. De modo que esa energía ya no alcanza la superficie terrestre. La mayor parte de la radiación UV del sol se encuentra en la zona del espectro cerca del visible, con longitudes de onda de 170 y 370 nanómetros.

Se supone que los óxidos de nitrógeno emitidos a la estratosfera procedentes de la combustión en jets supersónicos, o los freones que llegan a la estratosfera debido a su estabilidad química podrían dañar la capa de ozono. Además hay iones muy reactivos como cloro (Cl^-), flúor (F^-) y bromo (Br^-) que son los mayores enemigos del ozono estratosférico. Por ejemplo, un átomo de bromo es capaz de destruir 150.000 moléculas de ozono, y uno de cloro, 100.000. El bromo se encuentra en plaguicidas y extintores y el cloro en los CFC's.

Una simple disminución del uno por ciento en la capa de ozono implicaría un aumento del tres por ciento en incidencia de rayos ultravioleta sobre la Tierra y un 2% en los casos de cáncer de piel. Durante el invierno en la Antártida, el ozono se consume de forma natural y se regenera con el sol de primavera.

En 1982 sobre la Antártida se detectó el "agujero de ozono" -disminución en el espesor de la capa- que tantos ríos de tinta ha hecho correr movilizando a la opinión pública, los grupos ecologistas y las propias Administraciones.

En los últimos diez años Europa ha perdido entre un seis y un ocho por ciento del espesor de la capa.

Capacidad del medio

Número máximo de individuos que puede alcanzar una población. Cuando éste aumenta se acerca a K, que es como se denomina la capacidad del medio, produciéndose una resistencia ambiental al crecimiento. Las presiones que ejerce la población sobre el entorno se denominan capacidad de carga, que es el mayor número de seres vivos que un hábitat puede soportar de manera indefinida.

Sobrepasarla implicaría la reducción de los recursos para sostenerlos y la disminución de la población.

Por lo que se refiere en toda su amplitud al medio humano, si seguimos utilizando los recursos al ritmo actual, dentro de quince años la disponibilidad per cápita de pastos caerá un 22% y las capturas de pesca un 10%. Los terrenos de regadío caerán un 12%, las tierras de cultivo un 21% y casi un 30% los bosques.

Todo esto supondría un incremento del hambre, migraciones y conflictos sociales.

Hay tres hechos en el último medio siglo -la población mundial se ha doblado, la producción económica global se ha quintuplicado, y se ha incrementado la desigualdad en la distribución de la riqueza- que hacen que deba plantearse un nuevo modelo de gestión del medio.

Carbohidratos

O Glúcidos. Son compuestos formados por carbono, hidrógeno y oxígeno. De fórmula $C_x(H_2O)_y$. Son el primer producto de la fotosíntesis y actúan como transportadores y almacenadores en animales, plantas y microorganismos.

Componen los alimentos y proporcionan las calorías necesarias para el crecimiento y movimiento.

Carbón

Roca de tipo sedimentario, combustible, que se produce por la descomposición anaerobia de restos vegetales. Se usó masivamente en la industria a partir del S. XIX como fuente energética.

Es el combustible fósil más abundante y existen yacimientos por todo el mundo. Su explotación se ha revitalizado paulatinamente con la incorporación de nuevas tecnologías que han facilitado su extracción. En la década de los ochenta se constató el daño ecológico causado por el uso de carbones con alto contenido de azufre, cuya combustión produce gases responsables de la lluvia ácida. Las inversiones económicas en las centrales térmicas están dirigidas a reducir la emisión de este tipo de gases. Otro problema que se plantea es el impacto causado por las extracciones a cielo abierto con la consiguiente deforestación.

Hay cuatro tipos: Turba, lignito, hulla y antracita, según contengan más o menos carbono, materias volátiles y cenizas.

La hulla contiene materias volátiles hasta en un 45%, es un combustible fósil que ha sufrido un proceso completo de carbonización. El lignito y la turba no han sufrido un proceso completo de carbonización .

Carbón vegetal

Es el residuo sólido que se obtiene en el proceso de carbonización de la madera. La carbonización se efectúa mediante piras de madera llamadas carboneras.

Carbono

Elemento sólido metaloide, que forma parte de todos los compuestos orgánicos: Glúcidos, lípidos y proteínas.

El carbono desprendido en un año por la producción energética mundial son seis gigatoneladas (6.000 millones de toneladas).

Carbono, Ciclo del

La circulación del carbono se inicia en la reserva atmosférica pasando sucesivamente a los productores y consumidores y de ahí a los descomponedores para retornar posteriormente a la atmósfera, en la que la concentración media de dióxido de carbono es de 320 p.p.m. El carbono permanece en la atmósfera debido a su escasa reactividad durante unos 100 años a partir de su emisión.

Su ciclo es perfecto dado que regresa al medio casi al mismo ritmo en que se extrae de él.

Los productores lo incorporan a la cadena alimentaria como dióxido de carbono, a través de la fotosíntesis. Los consumidores lo reciben al alimentarse de los productores, y los descomponedores al actuar sobre cadáveres y productos de desecho. Mediante la respiración estos dos últimos lo restituyen en la forma dióxido de carbono.

Carnívoro

Que se alimenta de carne.

Carta Europea del agua

Fue promulgada el año 1968 en Estrasburgo por el Consejo de Europa.

1.- No hay vida sin agua.

2.- Los recursos del agua dulce no son inagotables.

3.- Contaminar el agua es tanto como dañar a todas las criaturas vivientes.

4.- La calidad del agua ha de ser mantenida en los niveles adecuados para cada uno de sus usos.

5.- Las aguas residuales deben poder ser utilizadas para usos posteriores.

6.- La conservación de los recursos de agua exige el mantenimiento de una adecuada cubierta vegetal.

7.- Es necesario inventariar los recursos de agua.

8.- La economía de los recursos de agua ha de ser planificada por las autoridades pertinentes.

9.- Debe potenciarse la investigación referida a la conservación de los recursos del agua.

10.- El agua es herencia común de toda la humanidad.

11.- La administración de los recursos del agua debe estar fundamentada en sus cuencas naturales más que en consideraciones políticas.

12.- El agua, como bien común, requiere la cooperación internacional.

Cartón

Producto resultante de la superposición de hojas de pasta de papel húmedo que al evaporarse quedan adheridas, otorgándole su característica rigidez. Tras un prensado, todas las láminas forman un solo cuerpo.

La fabricación del cartón exige materias fibrosas del tipo celulosa o papel viejo que tras ser convertidos en pasta y refinados se les añaden sustancias encolantes y colorantes. Se tratan con gran cantidad de agua y pasan luego a la prensa. Es reciclable.

Casa limpia

Concepto recientemente extendido a partir fundamentalmente de la toma de conciencia que se ha generado en los países industrializados como consecuencia de las grandes decisiones tomadas en la Cumbre de Río. Implica un nuevo modo en la vida cotidiana que respeta el medio ambiente e implica un código de comportamiento y compromiso personal cotidiano y doméstico. La casa limpia es el resultado de pequeñas decisiones que se toman en el ambiente doméstico respecto a los siguientes temas: Aislamiento de las viviendas, consumo de electricidad, cosméticos, detergentes, distribución de residuos, ecoproductos, electrodomésticos, envases, limpiadores, sistemas de calefacción y uso del agua en bañeras, duchas y calentadores,

En la casa se utilizan habitualmente todos estos productos contaminantes: Aerosoles, ambientadores (paradiclorobenceno), antipolillas (paradiclorobenceno), desinfectantes de agua, limpieza en seco (percloroetileno), papel clorado, pinturas y barnices (disolventes clorados), lejía (hipoclorito sódico), limpiahornos (cloruro de metileno), limpiadores en general (ácido clorhídrico, fenoles clorados, etc) y PVC en abundancia.

Catabolismo

Parte del proceso metabólico que tiene por finalidad la producción de energía. Consiste en la ruptura de los compuestos orgánicos complejos con la consiguiente producción de energía.

Catalizador

Es aquella sustancia que permite aumentar la velocidad en los procesos químicos. Ejemplo de catalizadores inorgánicos son ciertos metales pesados como plata, hierro u otros; y en el mundo orgánico, lo son los fermentos, enzimas, hormonas y vitaminas.

Catión

Ión de carga positiva.

Caución-reembolso

Instrumento económico fiscal mediante el que el virtual productor de contaminantes abona una determinada cantidad que queda en poder de la Administración como garantía. Esta cantidad le es restituida cuando procede a la recuperación de los residuos generados.

Cáustico

Se llama así a cualquier agente destructor, principalmente químico (ácido, alcalino o salino).

Central eléctrica

Instalación que permite obtener electricidad a partir de ciertas formas de energía: Fósil, nuclear, hidráulica, solar, eólica, etc.

Central térmica

Instalación destinada a la producción de energía eléctrica a partir del vapor producido por calentamiento del agua. El vapor acciona una turbina con un generador que acaba produciendo energía eléctrica. Utiliza habitualmente carbón y petróleo para producir el calentamiento del agua, y su problema son las emisiones de gases (óxidos de azufre y nitrógeno). La solución vendrá por el ciclo integrado de gasificación del carbón o por la turbina de gas inyectado por vapor.

Se llama *central térmica de lecho fluido* a la que utiliza como combustible carbón con carbonato cálcico. Tiene la ventaja de que el azufre de los lignitos, al mezclarse con el carbonato cálcico, forma sulfatos en las escorias y cenizas y así se reducen las emisiones de dióxido de azufre y NO_x.

Cesio

Elemento químico, metal blando, amarillo, se oxida fácilmente y descompone el agua dando lugar a hidrógeno e hidróxido cáustico.

Se halla en ciertas aguas minerales y se emplea para fabricar células fotoeléctricas.

C F C

Compuestos llamados clorofluorocarbonos. Los halocarburos más habituales son CFC -11, 12, 113, 114-, halón -1301,1211-, tetracloruro de carbono y metilcloroformo; su vida media varía desde los 8 años del metilcloroformo a los 180 del CFC 114.

Los CFC's y otros compuestos que contienen cloro ascienden lentamente hacia la estratosfera. El átomo de cloro es muy activo, pues un solo átomo de cloro es capaz de interaccionar con centenares de moléculas de ozono. Así el cloro reacciona con la molécula de O^3 produciendo su disociación en dos moléculas.

Su uso suele ser en espumas, frío industrial, disolventes, electrónica, extintores y limpieza. El Protocolo de Montreal de 1987 se comprometió a reducir las emisiones de CFC's en un 50% para el año 2000. De hecho los fabricantes de aerosoles han pasado de un uso del 90% de CFC's en su producto a menos del 10% en los últimos años. Actualmente la investigación se centra en el diseño de halocarburos con menores propiedades deletéreas del ozono que los actuales, con menor vida media. Existen algunas moléculas menos halogenadas, como es el caso de los HCFC (hidroclorofluorocarburos) que se degradan más rápidamente, aunque siguen siendo peligrosos para el ozono estratosférico y los HFC (no contienen cloro pero son inflamables y tóxicos).

El propano y el butano pueden sustituir a los CFC's en muchas aplicaciones, siendo baratos y abundantes aunque inflamables y peligrosos. Algunas alternativas baratas y simples son el NH_3 (amoníaco) para refrigeración, y vapor de agua a presión para sustituir a la limpieza química.

Ciclo de vida de un producto

Se define como ciclo de vida de un producto el que comprende todos los procesos de fabricación, distribución, consumo y eliminación. La protección, inocuidad o daño de un producto se entiende en cada una de estas fases.

Ciclo geológico

Es el conjunto de los fenómenos geológicos externos -agua, viento, lluvia, nieve, hielo- que dan lugar a la erosión, o internos -movimientos orogénicos-que dan lugar a fallas, montañas, etc. Unos y otros se repiten y dan lugar a movimientos y cambios en la superficie terrestre.

El ciclo geológico puede sintetizarse así:

1.- Las rocas ígneas se forman al enfriarse el magma y tienen dos variantes: Plutónicas, las que proceden del enfriamiento de las ígneas en el interior y volcánicas, que son las que se enfrían en el exterior.

2.- Las rocas sedimentarias son el resultado de la erosión de las rocas volcánicas.

3.- Las rocas metamórficas son las que se originan por un proceso de recristalización por medio de la presión y el calor de las rocas en las cordilleras.

CIEMAT

Centro de investigaciones energéticas medioambientales y tecnológicas.

CILSS

Comisión Interestatal para la lucha contra la sequía en el Sahel. Fundada en 1973 por Alto Volta, Cabo Verde, Chad, Gambia, Malí, Mauritania, Niger y Senegal.

Cinco R, Principio de

Así se conoce popularmente un conjunto de cinco recomendaciones del tratado de Maastricht: Reducir en origen la cantidad y peligrosidad del residuo. Reemplazar sustancias y productos por otros no contaminantes. Reutilizar el producto en el uso que lo produjo. Recuperar residuos para otro usos. Reciclar residuos.

Cinturón verde

Corona que envuelve un ecosistema construido tanto por razones ecológicas como estéticas y políticas.

CITES

Convenio Internacional para controlar el comercio de la vida salvaje. Fundado en 1975, prohibe el comercio de las especies en peligro, controla el comercio de las especies que pueden estar en peligro estableciendo determinados puntos fronterizos por donde deben pasar éstas.

Ciudad

A mediados de siglo vivían en las ciudades alrededor del 1% de los habitantes. Actualmente la distribución de la población en áreas urbanas y rurales es la siguiente: Sudamérica, 76% y 24%; Europa, 72,8% y 27,2%; Oceanía, 71% y 29%; Norteamérica, 70,8% y 29,2%; África, 32,6% y 64,7% y Asia, 29,9% y 70,1%

Se calcula que en el año 2025 habrá diez ciudades con una población entre 20 y 30 millones de habitantes y otras diez entre 15 y 20 millones; setenta y dos ciudades tendrán de 5 a 15 millones de habitantes. Y la mayoría de estos casos se darán en los países en vías de desarrollo.

Cuando se analiza la ciudad no hay que pensar que el entorno afectado por el alto consumo de energía afecta sólo al perímetro urbano; es necesario considerar también el entorno rural y natural.

Se considera ciudad ecológica aquella en la que se dan las siguientes condiciones:

1. Empleo de electrodomésticos eficientes, de reducido consumo energético.
2. Construcción bioclimática.
3. Aprovechamiento de la luz natural al máximo.
4. Sistemas adecuados y eficientes de electricidad .
5. Electricidad y agua caliente por energía solar.
6. Sistemas aislantes a base de fibras naturales.
7. Vegetación natural autóctona.
8. Depuración biológica de todas las aguas residuales.

Clima

Estado medio de la atmósfera a lo largo del año, por lo que no debe confundirse con el tiempo atmosférico, que es el estado de la atmósfera en un tiempo t. También se denomina clima, de un modo genérico, al conjunto de las características meteorológicas de una zona.

Tipos de climas:

- Árido: Régimen pluvial irregular, régimen de temperatura irregular. En él se distinguen los desiertos fríos de los desiertos calientes (Vid. Desierto).
- Tropical: Temperatura media de 25 °C. Precipitación abundante (2.000 mm / año) y uniformemente distribuida, humedad ambiental alta.
- Templados húmedos: a) Mediterráneo. Con dos estaciones: Estación fresca (5 a 10 °C) y seca (20 a 25 °C). Precipitaciones de 800 a 500 milímetros. b) Oceánico. Vientos marinos húmedos, invierno suave y verano fresco, muy variables en cuanto a precipitaciones (de 800 a 2.500 milímetros)
- Polar: Con temperaturas entre -10° y -40 °C, precipitación en forma de nieve (unos 300 milímetros)
La zonación morfoclimática propuesta por Tricart distingue:
a) zona fría: Glaciar y periglaciar.
b) zona forestal: De latitudes medias: marítimo -de invierno suave-, continental -de invierno duro- y mediterráneo.
c) zona árida y subárida de latitudes medias y bajas.
d) zona intertropical: Sabanas y bosques.

Climatología

Estudio de los climas con referencia a sus elementos constituyentes físicos, químicos y biológicos, y la influencia que ejercen sobre los organismos.

Clinhos

Proyecto elaborado como guía para la gestión interna de residuos en centros sanitarios y hospitalarios -establecimientos sanitarios, centros de investigación, análisis y experimentación, y laboratorios que manipulan agentes biológicos-.

Entre las obligaciones de los productores de residuos sanitarios de riesgo y residuos citostáticos, se encuentran éstas: Elaborar un plan de gestión, registro de incidentes y accidentes, y realización de declaraciones anuales sobre entrega de estos residuos a tratadores autorizados.

Clorización

O Cloración. El cloro se usa como desinfectante y decolorante para blanquear materias vegetales. El cloro forma ácido clorhídrico al contactar con una mucosa húmeda. Algunas sales de cloro, como clorato sódico y potásico, son tan nocivas que se han usado como gas de guerra.

Cloro

Cl. Elemento del grupo de los halógenos; gas amarillo-verdoso de olor desagradable y corrosivo. Es un elemento extremadamente reactivo. Lo conocemos por sus formas combinadas, por ejemplo la sal marina, y también como ión. Entre otras funciones es importante para el metabolismo y para la recuperación espontánea del organismo. El ser humano necesita diariamente para permanecer vivo unos 7 gramos de sal de cocina, los cuales contienen 4 gramos de cloro. En la Tierra, el cloro es una de las microsustancias nutritivas más necesarias.

Clorofila

Pigmento verde fotosintético primario propio de los organismos autótrofos. La clorofila *a* está en los fotoautótrofos productores de oxígeno, la clorofila *b* en las plantas superiores y algas, la clorofila *c* y *d* en ciertos tipos de algas.

CNUMAD
Conferencia de Naciones Unidas sobre medio ambiente y desarrollo, también llamada Cumbre de la Tierra o Conferencia de Río. Vid. Cumbre de Río.

Cobre
Metal pardo rojizo, buen conductor del calor y maleable. Se corroe al contacto con el aire y se oxida en frío por ácidos generando sales tóxicas. Algunas de sus sales, como el sulfato de cobre, se usan como colorantes y pesticidas.

Coda
Coordinadora de organización de defensa ambiental que agrupa a 170 asociaciones españolas.

Cogeneración
Es la producción secuencial de electricidad y energía térmica en forma de calor o vapor de agua. Hay dos modelos fundamentales de cogeneración.
El modelo de cogeneración superior, utiliza una fuente de energía primaria que genera energía eléctrica o mecánica, aplicando al proceso el calor desechado en tanto que energía térmica. Si en una turbina se aplican los gases de escape a una caldera de recuperación de este calor de desecho, se obtiene una conversión de éstos en vapor para accionar la turbina. Es el más utilizado industrialmente.
En el modelo de cogeneración inferior, el calor de desecho se dirige a una caldera de recuperación que convierte esta forma energética en vapor. Éste se suministra a la turbina generando energía eléctrica. Es efectiva para la gran industria y se considera apropiada en aquellos ámbitos que superen el consumo de 1.500 toneladas de equivalentes de petróleo/año. En cualquier caso es un modelo de centralización energética, que exige amplias medidas de seguridad.
El sistema cogenerativo se fundamenta en un incremento del consumo de gas natural.

Colmatación
Proceso consistente en la acumulación de materiales limosos arrastrados por las corrientes de agua y la deposición subacuática. Especialmente se observa este fenómeno en los fondos de los lagos.

Coloración aposemántica
La que exhiben algunos animales como indicativo de su peligrosidad, a la vez que para defenderse de depredadores. Ej.: avispas.

Coloración críptica
La que poseen algunos animales para confundirse con el medio. Ej.: camaleón.

Coloración mimética
La que poseen algunos animales que defienden su carácter inofensivo exhibiendo coloración semejante a la de especies peligrosas. Ej.: algunos insectos inofensivos.

Combustible
Todo cuerpo que es capaz de transformarse desprendiendo calor y en ocasiones luz. Los combustibles tienen carbono e hidrógeno fundamentalmente, además de oxígeno, nitrógeno y sales minerales; pueden ser sólidos, líquidos y gaseosos.

Combustible fósil
Es el que se ha producido tras un período de millones de años de fosilización de materia orgánica descompuesta: Carbón, petróleo y gas natural. Hoy suponen el 90% de la producción de energía comercial siendo consumidos en un 70% por los países industrializados. Son recursos finitos y la fuente principal de contaminación.

Comensalismo

Es una relación biótica interespecífica en la que el comensal vive a costa de un hospedador sin provocarle perjuicio ni beneficio. Es casual y no hay interdependencia metabólica. Ej.: Pez rémora y tiburón.

Competencia

Lucha entre dos organismos por nutrientes, agua, luz, ubicación, etc. La competencia se denomina *interespecífica* cuando los individuos de distintas especies buscan un recurso común en un mismo nivel trófico. Esta competencia interespecífica puede ser por interferencia, si la actividad del individuo tiene como función limitar el acceso del competidor; o por explotación, cuando una especie trata de limitar el acceso al recurso a otra especie

También hay una competencia llamada *intraespecífica,* que se produce por la búsqueda de un recurso común cuando la población tiende al clímax. Ej.: Paramecio y bacterias.

Compost

Mezcla de materia orgánica (restos de desechos alimentarios domésticos, césped, hortalizas, hierbas, deyecciones animales, paja de distintos cereales, hojas, papel y maleza en general) ya descompuesta, que se utiliza en la fertilización y acondicionamiento de los suelos. Su característica fundamental es la gran cantidad de humus que contiene. Se puede obtener añadiendo cal o materias calcáreas a los residuos de materia orgánica.

El compostaje es la aceleración en la descomposición aeróbica de los desechos para obtener suelos ricos en humus. En este proceso intervienen tanto invertebrados como bacterias y hongos. Puede industrializarse el proceso mediante adición de cultivos bacterianos u organismos capaces de aumentar la velocidad de descomposición.

Los materiales utilizados deben homogeneizarse y regarse abundantemente. A continuación se recubre con una ligera capa de hierbas secas, paja y hojas que, a la vez que aisla del clima exterior, favorece los intercambios dentro de él. Los insectos, arácnidos, etc. trituran esta materia orgánica.

Pasados unos días, si el bloque está suficientemente esponjoso y húmedo los microorganismos provocan un aumento de temperatura.

Concluida la primera fermentación se ha obtenido un compost fresco con abundantes elementos nutrientes. Su utilización activa la vida microbiana y se mineraliza rápidamente. Sucesivas fermentaciones logradas tras remover el compost fresco permiten que a los cinco meses, aproximadamente, se haya obtenido un compost maduro.

Compuestos organoclorados

Los formados por la unión de átomos de hidrógeno y carbono. Son la base de la vida y componentes fundamentales de los organismos vivos.

Son así inofensivos, pero cuando se unen con otros compuestos químicos, especialmente los halógenos -flúor, cloro, bromo, yodo-, se forman los llamados organoclorados.

Aparte de su modo de unión natural se suelen producir artificialmente en disolventes, pesticidas, clorofenoles, clorobencenos y plásticos.

Hay dos tipos de organoclorados especialmente peligrosos: dioxinas -policlorodibenzodioxinas- y furanos -policlorodibenzofuranos-. Los problemas que presentan son: Su gran estabilidad, no pueden ser degradados biológicamente y son solubles en grasas, por lo que son bioacumulables.

Comunidad

Conjunto de las poblaciones de diversas especies que viven y se relacionan en un ecosistema. También se llama biocenosis.

Comunidad clímax

Es la comunidad teórica hacia la que tiende todo desarrollo en materia de sucesión en una región determinada y que se realiza allí donde las condiciones físicas del sustrato no son tan extremas que lleguen a modificar los efectos del clima regional dominante.

La comunidad final o clímax se perpetúa a sí misma en equilibrio con el hábitat físico y en ella no se produce, a diferencia de la comunidad en desarrollo, acumulación neta anual de materia orgánica porque la importación y producción están compensadas por el consumo y la exportación.

En un área determinada suele reconocerse de modo teórico un clímax climático en equilibrio con el clima general y un número variable de clímax edáficos modificados por condiciones locales del sustrato.

Conferencia de Berlín

Celebrada en esta ciudad en 1995, su objetivo es plantear un nuevo compromiso a partir de los resultados obtenidos por la aplicación de los acuerdos de la Cumbre de Río. Ha buscado alcanzar compromisos para los próximos diez años. En la Conferencia se han debatido los siguientes temas:

1.- La AOSIS -Asociación de Pequeños Estados Insulares- ha planteado el peligro que supone el cambio climático para su economía, cultura y recursos naturales. Postura apoyada por la Unión Europea y las ONG's.

2.- EEUU propone la transferencia de tecnología a los países en vías de desarrollo para que puedan contrarrestar las consecuencias del efecto invernadero. A cambio de que los países industriales continúen con sus cuotas de emisión de gases.

3.- Creación de un organismo internacional que unifique los criterios de medida de emisiones de gases, para todos y cada uno de los países. Esto implica previamente la creación de una metodología que pueda ser aceptable internacionalmente.

Conferencia de Sevilla

Celebrada en 1995 sobre el tema de las Reservas de la Biosfera. Pretende alcanzar una mejora en la red existente exigiendo de los Estados legislación protectora. La Conferencia entiende que la reserva de la biosfera tiene como objetivo estudiar y demostrar métodos de desarrollo sostenible en escala regional, para la conservación, desarrollo y apoyo logístico en las mismas. Propone los estatutos de la Red mundial de reservas de la biosfera.

Conservación de la vida salvaje

En la conservación de la vida salvaje es preciso distinguir dos aspectos, in situ y ex situ. *Conservación in situ* es la conservación de ecosistemas y hábitats naturales y el mantenimiento y recuperación de poblaciones de especies viables en su entorno natural y, en el caso de las especies domesticadas o cultivadas, en el entorno en que se han desarrollado sus propiedades distintivas.

Conservación ex situ es la conservación de componentes de biodiversidad fuera de sus hábitats naturales.

La conservación implica la existencia de áreas protegidas o definidas en las que han designado o regulado y gestionado para establecer allí objetivos específicos de conservación.

La conservación de la biodiversidad implica un aprovechamiento sostenible que significa la explotación de los componentes de la biodiversidad de una manera y un ritmo que no comporte su declive a largo plazo, y ello manteniendo por tanto el potencial necesario para hacer frente a las necesidades y las aspiracionees de las generaciones presentes y futuras.

Hoy se comercia ilegalmente con aves, cactus, colmillos de elefante, coral, orquídeas, peces ornamentales, pieles de mamífero, pieles de reptil, primates vivos, ranas y tortugas.

Consumidor

Todo ser vivo que se alimenta de la materia orgánica de otro ser vivo. Los consumidores pueden ser primarios -vertebrados herbívoros y omnívoros e invertebrados herbívoros- y secundarios -vertebrados e invertebrados carnívoros-.

Consumismo, Crecimiento del

Hoy 1.000 millones de personas siguen pasando hambre. La producción de alimentos en el último medio siglo se ha incrementado notablemente, pero sigue siendo insuficiente. El hambre y las enfermedades derivadas siguen estando presentes y no consiste ya en aumentar la producción, sino en gestionar el consumo.

En términos medios, el ciudadano de la Tierra no llega a consumir 2.400 calorías diarias; pero mientras que los países desarrollados cifran su tasa calórica en cerca de 3.500 calorías, los subdesarrollados no alcanzan las 2.000, lo que implica absoluta desnutrición.

Aparte de las cuestiones puramente alimenticias indispensables, la sociedad postindustrial desarrollada ha organizado lo que se llama la civilización del desperdicio, del usar y tirar. Es el consumo por el consumo. Está acumulando el consumo de lo superfluo sin tener en cuenta las responsabilidades morales que ello implica, con el consiguiente desprecio de actitudes solidarias hacia el resto de la humanidad.

Este modelo de civilización exige una producción masiva de bienes que implica un consumo desmesurado de materias primas y energía, con el consiguiente deterioro del medio ambiente.

Hoy todavía se discute la cuantía y reparto del montante económico que los países desarrollados están dispuestos a ceder al Tercer mundo, que es el que concentra la mayor parte de los recursos naturales del planeta. Los países pobres tienen la legítima aspiración de compartir los beneficios biotecnológicos de los países desarrollados. Se trata de una cuestión puramente econó-mica. Mientras que los pobres invierten en población, los ricos invierten en aumentar su capacidad de actuación sobre los recursos y el entorno de los pobres. Estos tienen una alta tasa de aumento de población y una baja tasa de aumento de energía.

Hay que tener presente que los recursos naturales son una cuenta de ahorro de la que los países ricos van sacando activos sin preocuparse de reponerlos. Puede llegar un momento en que la sociedad del despilfarro llegue a "extender un cheque sin fondos".

Consumo

Cantidad de un producto necesario para producir energía o para la obtención de un bien.

Consumo de agua

La demanda mundial se eleva a 3.000 billones de toneladas al año.

De los 113 billones de toneladas que caen a la Tierra en forma de lluvia se aprovechan solamente tres billones y medio de toneladas. Dos tercios de la lluvia caída se evapora, quedando 41 billones que irán a parar al mar. Esto supone que sólo 14 billones de metros cúbicos componen la masa fácilmente explotable.

En España los regadíos -3,4 millones de hectáreas, que significan el 17% de la superficie agrícola útil y el 60% de la producción final agraria- consumen el 80% de los recursos hidráulicos. Las redes de distribución de agua en España causan un 40% de pérdidas. La tasa de reutilización, que actualmente supone sólo el 5%, de acuerdo con el Plan Nacional de Aguas Residuales debe llegar hasta el 50%.

La utilización del agua dulce implica un plan general que afronte las siguientes cuestiones: Crear una información consciente del ciclo del agua, gestión integrada del uso de suelo y agua, mejora de la gestión de aguas dulces, potenciar la capacidad de utilizar los recursos acuáticos de un modo sostenible y administrar la demanda de agua de modo que se garantice una distribución eficaz entre los usos en competencia.

Tarea fundamental y que la necesidad impone para un consumo racional del agua es el reciclaje. Existe la tecnología necesaria para llevar a cabo este reciclaje y debe aplicarse de modo fundamental a las industrias de productos químicos, elaboración de alimentos, papel, etc. A nivel doméstico hay que tener presente que debe eliminarse la utilización del agua con fines de lujo, como puede ser el césped impropio de un clima mediterráneo.

Además se está estudiando la posibilidad, para garantizar un uso adecuado del agua, de hacer recaer sobre el consumidor el coste del agua utilizada, en el que están incluidos los gastos de construcción y funcionamiento de los sistemas de suministro, gastos de protección del ecosistema que garantiza el flujo y calidad del agua y los gastos de reciclaje del agua residual.

La gestión ecosistémica del agua implica un consumo urbano moderado que implique un ahorro, criterios de producción limpia en la industria, reducción del consumo de agua y de la contaminación, modificación de los sistemas de riego en agricultura y protección de los bosques de ribera y humedales.

Contaminación

En general es toda presencia de cuerpos extraños en la composición de los elementos de la Tierra.

Las sustancias consideradas como contaminantes son: Compuestos del azufre –óxido de azufre y sulfuro de hidrógeno–, compuestos del nitrógeno –óxido nítrico, amoníaco y nitratos de peracilo–, compuestos del carbono –monóxido de carbono y dióxido de carbono–, compuestos de los halógenos, aerosoles, compuestos radiactivos, ozono, etc. Vid. Emisión, Inmisión.

Contaminación acústica

Se llama contaminación acústica a la producción de ruido en niveles que exceden los límites tolerables por el oído humano, lo que origina daños tanto físicos como psicológicos.

El estudio de la contaminación acústica debe centrarse en los siguientes aspectos: Organización del tráfico, transportes, ubicación de edificios de especial sensibilidad, aislamiento acústico, planificación y proyectos de vías de circunvalación con sus elementos de aislamiento y amortiguación acústica, trabajo en vías públicas con máquinas, etc.

La Organización Mundial de la Salud establece un tope de 50 dBA (decibelios) para los ruidos nocturnos, mientras que un valor de 55 dBA durante el día garantiza la tranquilidad en el interior de las viviendas, donde el ruido no debe superar los 35 dBA.

La percepción constante de ruidos de hasta 100 dBA constituye un importante factor de fatiga física. Por encima de ese nivel se sitúa el nivel del dolor con posibilidad de producirse lesiones de oído. Más allá de 150 dBA existe el peligro de traumatismos de carácter irreversible.

En la ciudad, el ruido es producido por el tráfico rodado, aeropuertos, obras (principalmente las perforadoras neumáticas), operaciones de carga y descarga de mercancías, determinados establecimientos de ocio, etc. El ruido, considerado como sonido que resulta desagradable o produce malestar, provoca incluso el rechazo de la calle como espacio de relación humana.

Los efectos de la contaminación acústica sobre las personas pueden ser: Pérdida de audición, cambios en los estados fisiológicos y psicológicos - incluyendo perturbación del sueño-, dilatación de las pupilas, reducción del riego sanguíneo en la piel debido a la vasoconstricción, incremento de la presión arterial. Son menos medibles las reacciones mentales y de comportamiento, pero se sabe que aumenta el nerviosismo, se produce una modificación del rendimiento, disminuye la atención y se incrementa la tendencia a la violencia.

Contaminación atmosférica

Definida así por el Consejo de Europa: "Hay contaminación en el aire cuando la presencia de una sustancia extraña o una variación importante en la proporción de los componentes es susceptible de provocar un efecto nocivo o de crear nubes o molestias."

La causa principal de la presencia de cuerpos extraños en la atmósfera es la combustión de materiales fósiles.

Los contaminantes de la atmósfera pueden ser:

1.- Primarios: Productos liberados en la combustión de la industria: CO (monóxido de carbono), CO_2 (dióxido de carbono), SO_2 (dióxido de azufre), SO_3 (trióxido de azufre), NO (monóxido de nitrógeno), NO_2 (dióxido de nitrógeno), hidrocarburos y partículas sólidas y líquidas.

2.- Secundarios: Los que se producen por las reacciones entre los primarios entre sí o entre los primarios y los componentes naturales de la atmósfera.

España emite unos 2,5 millones de Toneladas de SO_2 al año, casi 1,5 millón de Toneladas de NO_x y casi dos millones de Toneladas de C O V.

La atmósfera se ve afectada por la contaminación reduciendo la visibilidad debido a la dispersión de la luz que provocan las partículas en suspensión, formándose neblinas por la concentración de dióxido sulfúrico y reduciéndose la insolación.

Contaminación del agua

Conviene distinguir entre dos tipos de contaminación:

1.- Agua dulce. Alteración producida por la mano del hombre en la composición natural de las aguas: Residuos agrícolas, industriales y urbanos.

2.- Agua salada. Alteración producida por la mano del hombre en los mares. Y se produce por los restos erosionados de la corteza terrestre que, contaminados, son llevados por los ríos al mar.

Entre los vertidos cabe destacar: Metales pesados (plomo, cadmio, mercurio y arsénico), productos químicos como DDT y PCB, fertilizantes agrícolas (fosfatos y nitratos) y sobre todo el vertido de petróleo por accidente o por lavado de tanques.

Las alteraciones en el agua pueden ser

1.- Físicas: Color, conductividad eléctrica, formación de espumas, olor, materia en suspensión, radiactividad, sabor y temperatura.

2.- Químicas: Alteración de aniones, cationes y compuestos orgánicos, DBO -demanda bioquímica de oxígeno-, DQO - demanda química de oxígeno-, OD - oxígeno disuelto-, pH -medida de la acidez-, TOC -carbono orgánico total-.

El agua contaminada de los ríos causa la muerte de 25.000 personas al día en todo el mundo. Más del 66% de los ríos de la India están contaminados y son causa del 90% de la mortalidad infantil.

Contaminación del suelo

Alteración de la composición natural de la corteza terrestre por fertilizantes y biocidas.

Los distintos niveles edáficos pueden verse contaminados por efecto del uso indiscriminado que el hombre hace de la tecnología a su alcance.

La industria genera residuos tóxicos y peligrosos que, sin el debido tratamiento, pueden distribuirse por las zonas próximas, o no tan próximas, a las instalaciones. El suelo no es capaz de regenerar naturalmente y de un modo adecuado dichos residuos y queda contaminado.

La vida urbana igualmente es capaz de generar residuos que quedan en muchas ocasiones almacenados en vertederos incontrolados, precipitándose y filtrándose muchos contaminantes en función del tipo de suelo en que estén ubicados los restos, plásticos, PVC's, aguas residuales, pilas, etc.

Por otra parte, la agricultura intensiva con el uso masivo exigible de pesticidas provoca una contaminación continua.

En la fase de abandono -cuando una industria cesa en sus actividades- se impone el análisis bioquímico y físico del terreno en el que se asentaba. En ocasiones este asentamiento queda absolutamente inutilizado incluso para un nuevo asentamiento industrial.

Los almacenamientos y enterramientos nucleares, dada la vida media en que los productos mantienen su toxicidad, suponen un alto contaminante.

Pero en todo caso hay que tener presente que, tras producir deterioros como la lixiviación de los terrenos es el mar el lugar último, vertedero universal, al que van a parar todos los contaminantes de los distintos niveles edáficos.

Un control exhaustivo y una gestión efectiva de los residuos que contaminan el suelo reducirían notablemente las exigencias higiénicas y médicas sobre la población.

Contaminación por carbón

La Revolución industrial provocó el primer problema de contaminación a causa de los humos generados en la combustión del carbón. Al quemar carbón se produce dióxido de azufre, que es uno de los responsables del smog y de la lluvia ácida. Si bien las sociedades industrializadas tratan de eliminar este tipo de contaminación, hay que tener en cuenta que el carbón sigue siendo principal fuente energética en los países en vías de desarrollo. Un método capaz de reducir la contaminación por el carbón es la llamada combustión fluidizada, que elimina la mayoría de las emisiones de óxido de azufre.

Contaminación por transporte

El transporte motorizado es uno de los principales responsables de las emisiones de CO_2 (los automóviles contribuyen en un 13%) por la quema de combustibles que si no son directamente tóxicos, provocan calentamiento general de la Tierra, pues contribuyen al efecto invernadero.

Además se produce la emisión de otros gases nocivos a la atmósfera: Óxidos de nitrógeno, hidrocarburos que no se han quemado -poliaromáticos y ligeros-, CO, óxidos de azufre, plomo, aldehidos y otras partículas.

En Europa causa daños sociales y ambientales con un coste de 15,7 billones de pesetas al año. Este coste exigiría nuevos impuestos en el precio del carburante y tasas por el uso de carreteras.

Los principales contaminantes -monóxido de carbono, hidrocarburos y óxidos de nitrógeno- se pueden evitar colocando en los tubos de escape componentes de platino, rodio o paladio en soporte cerámico. Y así se acabaría de completar la combustión de los gases que el coche emite sin acabar de quemar y los transformaría en dióxido de carbono, vapor de agua y nitrógeno libre.

Pero estos catalizadores son inútiles si no se elimina el plomo de la gasolina. El 20% del consumo mundial de plomo se pierde en los tubos de escape. Este contaminante puede ser sustituido por alcoholes y éteres.

En cuanto al transporte aéreo, el impacto ambiental producido por los aeropuertos incide en los siguientes aspectos:

1. Se generan grandes niveles de ruido, creando un ambiente ruidoso permanente que afecta a varios kilómetros del entorno del aeropuerto de forma continuada.

2. Problemas en la ordenación del territorio: Construcción de pistas, áreas auxiliares, vías rápidas de acceso y acumulación de grandes cantidades de combustible.

3. El vuelo del avión provoca la descarga en las capas bajas de la atmósfera de grandes cantidades de hidrocarburos, plomo, compuestos nitrogenados y dióxido de carbono.

El transporte aéreo contribuye al efecto invernadero al producir en las altas capas atmosféricas importantes cantidades de vapor de agua como consecuencia de la propulsión a reacción, y a la destrucción de la capa de ozono por la expulsión de óxidos de nitrógeno.

Por lo que respecta al transporte marítimo el mayor peligro es el de los accidentes petrolíferos. (Vid.).

Contaminación térmica

Se entiende actualmente como contaminación térmica el constante aumento de temperatura de la Tierra debido al efecto invernadero. El aumento de temperatura es de aproximadamente 0,33 °C por cada 10 años.

Contaminador-pagador

Es un principio establecido por la OCDE en 1971 de asignación de costes de la política ambiental unido a la asignación de recursos ambientales. El principio contaminador-pagador (P C P) establece que los costes de la prevención y lucha contra la contaminación debe recaer en el contaminador, independientemente de que éste haga recaer tales costes en el precio final del producto. De este modo el contaminador puede integrar plenamente en el proceso de decisión la carga económica del conjunto de costes ambientales. Las excepciones que se contemplan en este principio son las derivadas de determinadas políticas de desarrollo proteccionista de áreas geográficas o sectores industriales concretos.

Contaminante

Es toda partícula sólida, líquida o gaseosa que se acumula en la atmósfera, agua o tierra y produce efectos negativos para la vida o el medio ambiente.

Recientemente la Universidad de California ha hallado un cristal con la particularidad de que cambia de color en presencia de diversos contaminantes: Ambar ante el sulfuro de hidrógeno, amarillo con el amoníaco y verde con el ácido fórmico. Estas sustancias cambian su disposición molecular, lo que implica variación en su longitud de onda de la luz que absorbe. Se espera en un futuro poder disponer de estos detectores para el análisis de contaminaciones.

Contenido energético

Cantidad de energía que se ha gastado en la producción de un determinado producto, independientemente de la naturaleza de éste.

Coprófago

Animal que se alimenta de los excrementos de los demás, por ejemplo ciertos insectos que viven en estercoleros, donde depositan sus larvas.

Coprolitos

Excrementos fósiles.

Corrientes aéreas

Movimientos propios de la atmósfera que son aprovechados por los seres vivos para desplazarse.

Corrientes del medio

Movimientos propios del agua y del aire, lo que exige que los seres vivos dispongan de adaptaciones para poder desarrollar su vida.

Corrientes marinas

La interacción entre la atmósfera y el agua de los océanos unida al movimiento de rotación de la Tierra origina corrientes. Son movimientos propios de las masas de agua que inciden notablemente en su salinidad.

En el hemisferio norte estas corrientes circulan en el sentido de las agujas del reloj; y en el sur, al revés. Las cálidas van de la zona tropical a zonas más templadas y las frías descienden de la zona fría hacia el ecuador. Si las corrientes alejan las aguas superficiales de la costa y las reemplazan por aguas profundas, éstas afloran a la superficie nutrientes del fondo; por eso estas zonas son ricas en pesca.

Corrientes frías: De California, Oya Shivo, Canarias, Perú, de Benguela, Deriva de los vientos del oeste, del labrador y de Alaska.

Corrientes cálidas: Kuro Shivo, del Golfo, ecuatorial del norte, ecuatorial del sur, contracorriente ecuatorial, del Brasil, contracorriente ecuatorial Índica, ecuatorial y de Australia oriental.

La rotación de la tierra deflecta las corrientes oceánicas haciendo que los vientos giren y fluyan entre el ecuador y los polos.

Corrosión

Destrucción de una superficie por procesos químicos. La atmósfera, smog, agua de lluvia con polutantes ácidos y el agua del mar son fuertes agentes corrosivos.

Corteza terrestre

Es la capa externa de la Tierra y tiene un espesor de unos 32 kilómetros. Se separa del manto por la llamada disontinuidad de Mohorovicic. La corteza está formada por rocas, líquidos y gases y se divide en estos planos:

1. Corteza continental: En capas sedimentaria, granítica y basáltica
2. Corteza intermedia: La unión de corteza continental y corteza oceánica
3. Corteza oceánica: Formada especialmente por silicatos de magnesio.

Cosecha de alto rendimiento

Vid. Revolución verde.

Cosmética

Conjunto de preparados para la higiene y belleza, que se han utilizado desde la antigüedad.

Es un campo muy amplio en el que se encuentran perfumes, productos para el cuidado del cuerpo o cabello, pastas limpiadoras, bronceadores, maquillaje, etc. En algunos productos se usan componentes animales como la civeta, esperma de ballena, cabra almizclera, castor, etc. Además, se experimenta sobre animales la mayor o menor inocuidad de productos, como el champú o laca de pelo, a fin de comprobar los efectos posibles sobre la salud humana. Algunos jabones de baño contienen tintes y perfumes que se obtienen de especies en vías de extinción. La pasta de dientes suele llevar dióxido de titanio, cuya fabricación es perjudicial para el medio ambiente.

El coste ambiental generado por los productos cosméticos no lo es tanto por su capacidad contaminadora ni por el consumo de recursos que provoca, como por su efecto sensibilizador sobre la población. Un factor importante que debe tener en cuenta es el tipo de envase utilizado para estos productos.

Cosmética natural

La que se elabora evitando los productos químicos y la experimentación en animales o su sacrificio. A ello ha de añadirse la campaña emprendida por alguna firma de productos cosméticos destinada a recoger sus envases para su posterior reciclaje o la utilización de envases rellenables. Apartado importante en la cosmética natural y que cobra fuerza diariamente es lo que podría denominarse cosmética preventiva; es decir, vida sana.

Costo-beneficio, Modelo de

Método de análisis clásico que consiste en lo siguiente: El beneficio viene constituido por el valor que el bien o servicio representa para el usuario. Su fundamento es la suposición de que es posible asignar un valor monetario a todas y cada una de las alternativas que la actividad humana lleva a cabo y que son capaces de provocar un deterioro en el medio ambiente. Su fundamento económico es la equimarginalidad; es decir, considerar que el coste marginal social generado al producir una unidad adicional debe ser igual al beneficio marginal social de producirla.

Es un modelo económico cuya aplicación es estrictamente de corto plazo, ya que en el coeficiente de marginalidad no se tienen en cuenta las consecuencias a largo plazo. Además, es difícil monetarizar ciertos aspectos ecológicos como pueda ser la percepción del paisaje.

COV

Compuestos Orgánicos Volátiles. Las mayores fuentes de emisiones artificiales de COV son la evaporación de disolventes, las emisiones de escape en los vehículos de gasolina y las pérdidas por evaporación de gasolina en vehículos.

Crecimiento cero

1. El ritmo de crecimiento per cápita debe estar en relación con el producto marginal del capital -tasa de beneficio del empresario-. 2. El tipo de crecimiento del capital debe tender a ser el mismo de los componentes básicos -fuerza del trabajo-. Si el crecimiento de la población tiende a cero, la tasa de crecimiento económico y de beneficio serían cero; pero en realidad la ausencia de progreso técnico es una hipótesis difícil de creer.

Crecimiento de población humana

La tasa de fertilidad está decreciendo, pero considerando que la población actual ronda los 5.500 millones de habitantes hay que tener en cuenta que diariamente son 250.000 personas más las que se incorporan a la vida. Siguiendo el ritmo actual de crecimiento se puede calcular que cada once años hay 1.000 millones más de personas.
Pero el crecimiento es desigual, según las zonas: Hasta finales de este siglo en los países en desarrollo el crecimiento se calcula que será del 24,6%, mientras que en los países industrializados será sólo de un 5,2%. Mientras que en África o en Oriente Medio una mujer tiene de seis a ocho hijos en un país industrializado no llega a dos. Es una cuestión puramente económica. En términos medios, el porcentaje medio anual de la tasa de crecimiento es de 1,7%, y la media mundial de muertes infantiles por cada 1.000 personas es de 63.
El crecimiento de la población se ralentiza a causa de que los países en desarrollo son incapaces de sustentar tantas bocas.

Crecimiento en curva sigmoidal

Aumento o disminución de individuos de una población por unidad de tiempo con limitaciones en el tiempo. Así se produce un crecimiento en curva sigmoidal.
El número máximo de individuos de la población fluctúa en torno a una línea virtual de equilibrio.

Crecimiento exponencial

Es el aumento o disminución de individuos de una población por unidad de tiempo sin límite. Crecimiento= constante x e^t.
A medida que se agotan los recursos la población experimenta un descenso en vertical.

Crecimiento tecnológico

A partir de la revolución industrial el crecimiento tecnológico no ha cesado. Estamos en la época de tecnología en grandes escalas que provocan la transformación masiva de los ecosistemas. Permite disfrutar de bienes y servicios cada vez mayores y se aplica a todos los ámbitos de la vida humana.

CSE

Comisión para la Supervivencia de las Especies.

Cubierta vegetal

Se puede llamar así a la capa verde que cubre la Tierra en algunas zonas. Se empobrece por deforestación, desertización, desertificación y erosión.

Cultivos de tala y quema

Modelo primitivo practicado en la línea del trópico: Se escoge una ladera y se tala un buen número de árboles para despejar el terreno. El matojo que queda formando el manto se quema y sobre la superficie se cultiva. El suelo, muy fértil, provoca abundante cosecha; pero pasado un tiempo decae la fertilidad y se reducen las cosechas. Entonces el bosque empieza a regenerarse, momento en el que se abandona esa zona y se emprende la misma acción con otra.

A través de una sucesión de talas, al cabo de una docena de años, se vuelve al lugar primitivo; y esto se repite durante siglos. No es un sistema muy rentable al tener que soportar grandes extensiones en barbecho. Como las zonas no son infinitas se acaba volviendo a la primera acelerando el ciclo, y como el suelo no restaura su fertilidad el área queda desertizada, lo que obliga a este tipo de agricultores a adentrarse más en la selva.

Cultivos forestales

Consisten en roturar el bosque provocando un claro que es abandonado tras varias cosechas. En otras zonas no tropicales se alterna con el pastoreo y con el sistema bienal de cultivo-barbecho.

En las zonas tropicales, en las que se da la población dispersa, la agricultura es un componente poco importante en su sistema eonómico y sólo un complemento de la recolección y la caza.

Cumbre de Río

Celebrada en junio de 1992 en Río de Janeiro, reunió a 118 Jefes de Estado y de Gobierno. Los motivos de esta asamblea fueron fundamentalmente estos: Aumento de la miseria en los países pobres, cambio del clima, desaparición de especies animales y vegetales, destrucción de la capa de ozono, pérdida de suelos fértiles y tala masiva de bosques.

Se diseñó un programa de trabajo para la década, llamado Agenda 21, cuyo objetivo es lograr un desarrollo sostenible que permita satisfacer las necesidades de la población mundial, sin agotar los recursos de las generaciones futuras.

Los únicos acuerdos adoptados con carácter vinculante fueron las Convenciones sobre Diversidad Biológica y sobre Cambio Climático.

Los acuerdos de la Cumbre de Río exigen:

1.- Estudiar estrategias y analizar sus consecuencias.

2.- Evaluar las exigencias económicas y políticas necesarias para la puesta en marcha de los acuerdos a nivel internacional.

3.- Promover campañas para la concienciación de ciudadanos.

4.- Dar garantías a las comunidades nacionales para hacer efectiva la sostenibilidad de los acuerdos.

5.- Organizar departamentos gubernamentales para la ejecución de los acuerdos.

6.- Financiar la transición hacia la sostenibilidad.

DBO

Demanda Bioquímica de Oxígeno o cantidad de oxígeno disuelto por volumen de agua, necesaria para la degradación de los materiales orgánicos que contiene. Es una medida del grado de contaminación del agua y se expresa en miligramos por litro de agua.

Decantación

Separación de un sólido y un líquido quedando el primero depositado, mientras el otro se evapora o se absorbe para su tratamiento. Vid. Tratamiento de aguas residuales.

Declaración de Río

(Cumbre de Río de Janeiro, 1992).
Declaración de Río para el medio ambiente y el desarrollo: Con el objetivo de establecer una alianza mundial nueva y equitativa mediante la creación de nuevos niveles de cooperación entre los Estados, los sectores clave de las sociedades y las personas, procurando tomar acuerdos internacionales en los que se respeten los intereses de todos y se proteja la integridad del sistema ambiental y de desarrollo mundial y reconociendo la naturaleza integral e interdependiente de la Tierra, nuestro hogar, proclama:
1.- Los seres humanos constituyen el centro de las preocupaciones relacionadas con el desarrollo sostenible. Todos tienen derecho a una vida saludable y productiva en armonía con la naturaleza.
2.- Los Estados tienen el derecho soberano de aprovechar con responsabilidad sus propios recursos .
3.- Derecho al desarrollo .
4.- La protección del medio es parte integrante del desarrollo.
5.- Compromiso de eliminar la pobreza.
6.- Prioridad para los países en vías de desarrollo.
7.-Solidaridad mundial para proteger, conservar y restablecer el ecosistema Tierra.
8.- Fomentar políticas demográficas apropiadas.
9.- Transferencia de tecnologías.
10.- Participación de todos los ciudadanos.
11.- Promulgación de leyes eficaces.
12.- Promover un sistema económico adecuado.
13.- Desarrollar legislaciones nacionales.
14.- Evitar perjuicios ambientales a los demás.
15.- Criterios de precaución en situaciones de peligro grave irreversible.
16.- Asumir los costos ambientales en cada país.
17.- Hacer una evaluación de impacto ambiental antes de emprender acciones.
18.- Informar sobre desastres y situaciones de emergencia.
19.- Informar de actividades que puedan afectar a otros Estados.

20.- Subrayar el importante papel de la mujer en la ordenación medioambiental.
21.- Estimular a la juventud en las tareas medioambientales.
22.- Papel fundamental de los pueblos indígenas, que deben ser protegidos.
23.- Protección del medio ambiente de los pueblos sometidos, dominados u ocupados.
24.- Rechazo total de la guerra.
25.- La paz, el desarrollo y la protección del medio ambiente son interdependientes.
26.- Resolver los conflictos medioambientales de modo pacífico de acuerdo con la Carta de las Naciones Unidas.
27.- Cooperar con los demás con buena fe y espíritu de solidaridad.

DDT

Dicloro-Difenil-Tricloroetano. Es un compuesto organoclorado que se obtuvo por síntesis a finales del siglo XIX y se usó como insecticida contra moscas y gusanos de frutales. Su uso fue muy eficaz contra parásitos; pero incluso usado en soluciones inferiores a 1/20 millones es altamente tóxico, pasando a través de toda la cadena trófica. En el hemisferio sur se ha seguido usando aunque está prohibido.

Deforestación

Pérdida de masa forestal. Los motivos por los que se produce la destrucción de selvas son: Un 24%, causada por la explotación comercial de la madera; un 12%, por el uso como combustible; un 10%, para obtener tierras de pasto; y el resto debido a causas diversas como la agricultura.
La explotación maderera ha destruido gran parte de los ecosistemas, ya que para obtener el 10% de los árboles de una concesión el 55% son dañados o destruidos. De los 500 m³ de madera que se pueden obtener por hectárea sólo se aprovecha el 5%. Cuando el claro que se abre en el bosque no supe-

ra las 2 ó 3 hectáreas el ecosistema tarda en regenerarse completamente hasta 400 años; si es mayor, o si se vuelve a explotar la zona cuando los árboles son jóvenes, se origina la pérdida definitiva del suelo.
De un modo general la deforestación se debe a la constante presión que ejercen los países desarrollados sobre el sistema económico de subsistencia propio de los lugares que disponen de bosques. Sin embargo, una tala racional no es sólo conveniente sino, en cierto tipo de bosques, necesaria.
Los países pobres se ven obligados a favorecer la deforestación para vender sus recursos madereros a los países ricos.
Las causas de la deforestación: Obtención de leña como combustible por países que no tienen acceso a otra energía, venta de madera dura y afán de abrir nuevas tierras de cultivo y de pastoreo.

Delito ecológico

El Código Penal, en el artículo 325, establece que:
"Será castigado con las penas de prisión de 6 meses a 4 años, multa de 8 a 24 meses, e inhabilitación especial para profesión u oficio por tiempo de uno de 3 años el que, contraviniendo las Leyes u otras disposiciones de carácter general protectoras del medio ambiente, provoque o realice directa o indirectamente emisiones, vertidos, radiaciones, extracciones o excavaciones, aterramientos, ruidos, vibraciones, inyecciones o depósitos, en la atmósfera, el suelo, el subsuelo, o las aguas terrestres, marítimas o subterráneas, con incidencia, incluso, en los espacios transfronterizos, así como las captaciones de aguas que puedan perjudicar gravemente el equilibrio de los sistemas naturales. Si el riesgo de grave perjuicio fuese para la salud de las personas, la pena de prisión se impondrá en su mitad superior".
Y de acuerdo con el artículo 326:

"Se impondrá la pena superior en grado, sin perjuicio de las que puedan corresponder con arreglo a otros preceptos de este código, cuando en la comisión de cualquiera de los hechos descritos en el artículo anterior, concurra alguna de las circunstancias siguientes:

a) Que la industria o actividad clandestina, sin haber obtenido la preceptiva autorización o administrativas de sus instalaciones.

b) Que se hayan desobedecido las órdenes expresas de la autoridad administrativa de corrección o suspensión de las actividades tipificadas en el artículo anterior.

c) Que se haya falseado u ocultado información sobre los aspectos ambientales de la misma.

d) Que se haya obstaculizado la información inspectora de la Administración.

e) Que se haya producido un riesgo de deterioro irreversible o catastrófico.

f) Que se produzca una extracción ilegal de agua en período de restricciones.

Demanda energética

El consumo mundial de energía, de acuerdo con los datos que ofrece la Conferencia mundial de energía, se distribuye de la siguiente forma: Petróleo, 40,2%; carbón, 28,0%; gas, 22,7%; energía nuclear, 6,6% ; hidroeléctrica, 2,5%. Las diferencias en la demanda energética exhiben el contraste entre las áreas desarrolladas y las no desarrolladas.

Considerando como unidad de medida las tmep (toneladas métricas de su equivalente en petróleo) tenemos que: Estados Unidos necesita para su actividad habitual 1.952 al año; la CEI, 1.308; Europa occidental, 1.384; Japón, 438; China, 686 y África, 218.

La Estrategia mundial para la conservación de la naturaleza exige respecto a la demanda de energía:

1.- Elaborar estrategias energéticas explícitas a nivel nacional.

2.- Reducir el uso de carburantes fósiles.

3.- Desarrollar las fuentes de energía renovables.

4.- Utilizar de manera más eficiente la energía en el hogar, industria y transporte.

Densidad bruta

Número de individuos por unidad de espacio, sin tener en cuenta las características ecológicas de la especie a la que pertenecen.

Densidad de energía

Cantidad de energía consumida por una unidad de área al año.

Densidad de población

Número de individuos por unidad de superficie. A efectos de análisis para la ecología se prefiere siempre considerar la densidad como cantidad de biomasa por unidad de superficie.

Densidad específica/ecológica

Número de individuos por unidad de espacio. Entendiendo por espacio el hábitat en que vive la especie.

Denudación

Arranque y transporte de tierra por viento o agua.

Depredación

Es la relación biótica interespecífica que consiste en la captura y muerte subsiguiente que ejerce un individuo depredador sobre otro llamado presa.

Hay que tener en cuenta que un depredador puede a la vez ser presa de otro. Por eso cualquier individuo en este tipo de relación dispone de adaptaciones para la captura y para la defensa. Los procesos de depredación dan lugar a un movimiento unidireccional de energía presa-depredador y establecen controles sobre el número de individuos de las poblaciones.

Depredador

Animal que mata a otro para alimentarse de él. Es un elemento propio de la selección natural y que, por tanto, es capaz de restaurar el equilibrio de un ecosistema. Ej.: Lobo.

Depuración

Acción destinada a eliminar las impurezas en suspensión que tiene un líquido, mediante el reposo y filtrado o tratamiento del mismo, dando lugar a la precipitación de tales impurezas en el fondo del recipiente.
Es el hecho de limpiar de impurezas un cuerpo, y se limpian porque naturalmente no forman parte de él.

Depuración de agua

Trata de corregir los niveles de magnesio, flúor, carbonatos y residuos. Las plantas depuradoras someten a las aguas negras a procesos de limpieza:
Tratamiento primario o físico: Elimina del torrente las partículas sólidas en suspensión.
Tratamiento secundario o biológico: Retira metales pesados que pasaron el primer filtro; se purifican y se cloran las aguas antes de verterlas.
Tratamiento terciario: Elimina de las aguas el nitrógeno y el fósforo, así se evita el fenómeno de la eutrofización de las aguas del lecho, adonde van los vertidos, y la proliferación de algas y microorganismos.
En cuanto a las tecnologías de bajo coste propias de pequeñas colectividades y del medio rural, las más usadas son:
1.- Lagunaje: Con proceso de depuración aerobio o anaerobio.
2.- Filtro verde: Las aguas residuales del núcleo urbano se sitúan sobre plantaciones forestales, actuando los microorganismos como los depuradores naturales.
3.- Lechos de turba: El agua se deposita sobre una capa de arena (el fenómeno básico que se produce es la absorción biológica).

4.- Contactores biológicos rotativos: Permiten la eliminación de materia orgánica y actuación sobre la nitrificación.

Depuradora

Instalación que permite el tratamiento de filtrado y esterilización a que se someten las aguas para separar los corpúsculos vegetales, animales o minerales antes de su distribución para el abastecimiento. Las plantas a ello dedicadas llevan a cabo la sedimentación, floculación (aglomeración) y filtración.

Derechos de contaminación

Es un modelo económico que consiste en la utilización de títulos o derechos de contaminación emitidos por el Estado. Su posesión otorga al poseedor derecho para emitir residuos en una cantidad establecida por la Administración. Estos derechos, al ser emitidos por la Administración, pueden someterse a oferta y demanda de mercado. El objetivo es limitar la contaminación tope en un área determinada. La efectividad del sistema hace que ya se cotice como valor bursátil en algunos Estados de Norteamérica.

Derrubio

Acumulación de fragmentos rocosos al pie de la vertiente por la que han rodado. En una vertiente derrubial hay tres zonas:
a) De partida, en la que la roca es atacada por meteorización y desprende fragmentos.
b) Intermedia, que permite el transporte por gravedad.
c) De acumulación, tiene sección cóncava y acumula los derrubios que se ordenan por tamaños.
Los depósitos por derrubio son propios de clima frío o de zonas con invierno frío.

Desalinización

El agua de mar contiene un 3,5% de sales minerales en disolución y el uso corriente del agua sólo admite el 0,1%. Dada la escasez de agua, éste sería uno de los procedimientos para obtener agua de boca. Los métodos habituales de desalinización son:

- De tubos: Se vaporiza el agua de mar en tubos en serie dispuestos de modo que la presión y temperatura de cada uno de ellos sea inferior a la del precedente. Para producir una determinada temperatura en el primero de la serie se utiliza una fuente energética externa, y el vapor producido en éste alimenta al siguiente. Y así sucesivamente.
- Ósmosis inversa: Mediante presión inducida se hacen atravesar moléculas de agua por una serie de membranas que retienen las sales que llevan en disolución.
- Electrodiálisis: Cuando, mediante la generación de un campo eléctrico, se consigue que la sales pasen a través de membranas selectivas, que impiden el paso de moléculas de agua.
- Multiflash: Se hace pasar el agua de mar por cámaras en serie cuya presión y temperatura va disminuyendo. La vaporización del agua se consigue al penetrar en una cámara por la disminución de presión.

Desarrollo sostenible

Es el intento de eliminar el crecimiento de la pobreza en los países ya pobres y eliminar el aumento de contaminación en los países ricos.

Es una de las acciones prioritarias consignadas en la Agenda 21 de la Cumbre de Río.

Desde el punto de vista económico, el comercio mundial es actualmente de unos 6 billones de dólares, la mayor parte de los cuales corresponde a las economías desarrolladas. Las condiciones que rigen el comercio internacional son especialmente importantes para los países en desarrollo ya que el comercio tiene un papel esencial en la lucha por una transformación o un crecimiento estructurales.

Para hacer posible el intercambio de bienes y servicios y poder modificar los modelos de producción y consumo el sistema comercial puede tener tanto un impacto positivo como un impacto negativo sobre el medio ambiente. Un sistema comercial financiero abierto, que distribuya la producción global de acuerdo con las ventajas comparativas, sería beneficioso para todas las partes involucradas.

El comercio internacional puede, en algunos casos, proporcionar los recursos adicionales que se necesitan para el crecimiento económico y el desarrollo.

El desarrollo sostenible requiere una inversión mayor, para la cual son necesarios recursos financieros. La Comunidad Internacional habría de promover un sistema financiero internacional abierto que mejorase el acceso de los países en desarrollo a los mercados internacionales, que requeriría la integración de los costos ambientales en los precios de las mercancías. Es necesario eliminar las distorsiones existentes en el comercio internacional, lo que exige reducciones considerables y progresivas del apoyo y la protección a la agricultura y a la industria y otros sectores. La liberalización del comercio se habría de perseguir en los diferentes sectores económicos con el fin de contribuir al desarrollo sostenible.

Los Gobiernos habrán de:

1. Integrar el medio ambiente y el desarrollo dentro de los niveles del diseño de políticas, planificación y gestión. Ello comportaría un cambio fundamental en el modo de tomar decisiones.
2. Utilizar efectivamente los instrumentos económicos y los incentivos del mercado.
3. Revisar sus políticas y generar actitudes propias del mercado mediante la eliminación del subsidio y la promoción de nuevos mercados en los ámbitos de control de la contaminación de la gestión de recursos.

4. Analizar las políticas de precios, los impuestos y los incentivos propios del mercado como formas eficaces de enfocar las cuestiones ambientales.

En resumen, un plan de desarrollo sostenible debe pretender:

1. Revitalización del crecimiento con criterios sostenibles.
2. Lucha contra la pobreza.
3. Desarrollo sostenible de los núcleos de población.
4. Utilización eficiente de los recursos.
5. Utilización adecuada de los recursos globales.
6. Gestión ambientalmente limpia de los productos químicos, residuos tóxicos, peligrosos y radiactivos.
7. Participación y responsabilidad de las personas.

Desastres naturales

Son todas aquellas acciones violentas y masivas que alteran la naturaleza y son producidas por ella misma: Volcanes, huracanes, terremotos, maremotos, inundaciones, sequías, tormentas, etc. Su incidencia es notable y se puede observar una relación inversa entre el nivel de vida y la incidencia de estos desastres naturales, por lo que la prevención y protección es una cuestión de desarrollo.

Descomponedores

Seres vivos que se dedican a descomponer la materia orgánica de los cadáveres de otros seres vivos y la convierten en materia inorgánica. Los descomponedores son seres microscópicos del tipo de bacterias y hongos, y son capaces de transformar la materia orgánica de un cuerpo muerto en sales minerales y nutrientes. Por eso los descomponedores cierran el ciclo energético que habían comenzado las plantas.

Desertificación

Un terreno, que no era desértico adquiere todas las condiciones de un desierto como consecuencia de la destrucción de su cubierta vegetal y consecuente erosión de su capa fértil del suelo.

La desertificación es un proceso que puede reproducirse una vez que comienza. La degradación establece las condiciones para su misma continuidad, y es la acción humana el agente cuyo efecto es la creación de áreas desertificadas en regiones donde, desde el estricto punto de vista del clima, tal degradación nunca habría ocurrido.

Un tercio de las tierras del planeta se ven amenazadas por la desertificación. Al reflejar la energía solar al espacio el aire se hace más cálido y se evita la formación de lluvias. Más de 1.200 millones de hectáreas han sufrido seria degradación en el último medio siglo.

Entre las causas de desertificación conviene citar las siguientes: Sobreexplotación, abuso de pesticidas y herbicidas, pastoreo excesivo y tala indiscriminada. También ayuda a desertificar la creación de terraplenes y taludes exigidos para la construcción de carreteras, los embalses y las explotaciones mineras a cielo abierto. Es más evidente en las zonas montañosas con fuerte pendiente.

Aunque el aumento en el uso de fertilizantes químicos puede mitigar la productividad perdida, ello no detiene la degradación.

El PNUMA estima que hoy la desertificación afecta a 900 millones de personas en todo el mundo y existen unos 3.300 millones de hectáreas con riesgo de desertificación.

En España casi un 20% del territorio ya no es recuperable.

Desertización

La deforestación va seguida de la roturación de tierras de poco espesor y a continuación viene el sobrepastoreo, con lo cual acaba por eliminarse el manto herbáceo como última resistencia. La tierra se hace menos fértil, produce menos vegetación y la erosión causada por la lluvia y el viento termina el proceso, creando u·a capa superficial dura e impermeable que impide que la tierra se moje incluso con agua de sobra. Cuando ya han desaparecido los arbustos y la hierba el nivel de la capa freática baja y terminan por secarse incluso los árboles.

Nueve millones de hectáreas se encuentran tan dañadas que han perdido toda su función biológica, y quizás no se recuperen:

Valga como ejemplo que Etiopía tenía un 40% de superficie boscosa antes de la segunda guerra mundial; hoy solamente un 4%.

Es muy importante la desertización en Grecia, Italia, Portugal, Francia y España. En España la desertización exigiría inmediatamente 400.000 millones de pesetas de inversión.

Deshidratación

Pérdida de agua de un organismo. En petroquímica se entiende como la extracción del agua del petróleo bruto, utilizando para ello agentes desecantes como la sal marina, bauxita o alúmina activada.

Desierto

Bioma. Área cuyo clima impide la existencia de vegetación pues su nivel de precipitación anual es inferior a 100 mm. Constituye la séptima parte de la superficie terrestre. Sus temperaturas son extremas, muy altas en el día debido a la insolación y muy bajas por la noche, pues el suelo pierde el calor por irradiación. Sólo permite plantas xerófitas, de hojas pequeñas, duras y sin estomas o en espinas, capaces de almacenar agua en sus tallos, arbustos espinosos, y alguna gramínea. Las raíces son muy largas. En el subsuelo puede haber agua filtrada durante siglos.

Se puede hablar de dos tipos de desierto:

Desierto árido, unos 14 millones de kilómetros cuadrados y

Desierto helado, unos 16 millones de kilómetros cuadrados.

Desnitrificación

Proceso por el que los nitratos y nitritos, mediante la acción de microorganismos, se transforman en nitrógeno libre o sus óxidos.

Destrucción ecológica

Es cualquier actividad que:

1. Elimina la base natural que la sustenta.
2. Consume recursos no renovables.
3. Consume los renovables, pero no se encarga de favorecer su renovación.
4. Consume recursos renovables a un ritmo superior al de su recuperación natural.
5. Produce residuos o contaminación que la naturaleza no puede absorber.

Detergente

Agente con capacidad para eliminar la suciedad y que está compuesto de:

1. Agentes tensoactivos -capaces de modificar la tensión superficial de un líquido- y surfactantes (abreviatura de surface-active-agent), como los sulfonatos de alquibenceno, sulfatos de alcoholes de cadena larga, etc. Tienen poder limpiador.
2. Agentes coadyuvantes (builders). Se llaman así porque ayudan al surfactante en su acción limpiadora. Y son habitualmente: Polifosfatos de sodio y potasio, silicatos de sodio, carbonatos de sodio o potasio y carboximetil celulosa.
3. Auxiliares (fillers) que, no siendo limpiadores propiamente considerados, permiten que los anteriores ejerzan su función. Son antiapelmazantes, como el sulfato de sodio, blanqueadores, como el perborato de sodio, o sustancias de diversas funciones: perfumador, suavizante, germicidas, fluorescentes, etc.

Detritus

Resultado de una descomposición. Un detrito es el material del suelo que ha sido erosionado y arrastrado por el agua. Fragmento de materia orgánica en descomposición, y por extensión se llama así a cualquier desecho.

Dieldrín

Pesticida formado por hidrocarburos clorados.

Dieta

Aporte racional de sustancias alimenticias. Cualquier dieta considerada como buena ha de proporcionar la cantidad de nitrógeno y carbono que el organismo pierde o consume en un día, tanto por respiración como a través de las distintas excreciones.

La dieta debe contener, en la debida proporción, proteínas, glúcidos, lípidos, sales y vitaminas.

La dieta alimentaria y nutritiva ha de responder principalmente a dos fines: Consumo mínimo, para mantener las diversas funciones bioquímicas, aun permaneciendo el organismo en reposo, y consumo superior, impuesto por el trabajo o el ejercicio físico que desarrolle el individuo diariamente.

Toda dieta basal debe tener un equilibrio entre los principios inmediatos que contienen los alimentos (hidratos de carbono, grasas y albúminas) y la cantidad apropiada de vitaminas, sales minerales, etc. para garantizar el estado de salud. Aunque cada dieta basal depende de circunstancias metabólicas individuales.

El cuerpo humano necesita alimentos protéicos y energéticos, y sin los segundos los primeros no sirven de nada porque las proteínas son imprescindibles para el crecimiento y reparación de tejidos; y para esto se necesita energía.

Diez propuestas para salvar la cumbre de la Tierra

Se denomina así a un Programa de Greenpeace referido a la Agenda 21. Y son las siguientes:

1. Adoptar reducciones de CO_2.
2. Promover la transformación tecnológica y la disminución de consumo de recursos en los países desarrollados.
3. Abordar el problema del flujo de recursos del Sur al Norte y la gestión de la deuda en los países en vías de desarrollo.
4. Generar recursos económicos para los problemas medioambientales, recursos que no deben ser controlados por el Banco Mundial.
5. Fuerte regulación nacional e internacional de las empresas multinacionales.
6. Prohibir la exportacion de residuos tóxicos y tecnologías contaminantes.
7. Abordar las causas reales de la destrucción de bosques.
8. Prohibir las pruebas nucleares y abandono progresivo de la energía nuclear.
9. Adoptar medidas de seguridad para controlar los riesgos para la salud y el medio ambiente de la investigación y desarrollo de la biotecnología.
10. Asegurar que la protección del medio ambiente es un criterio básico en los sistemas de comercio internacional.

Dióxido de carbono

CO_2. Compuesto gaseoso que se encuentra como componente normal en la atmósfera terrestre. En los 100 primeros Kilómetros la concentración es de 325 ppm.

Pero además existen fuentes antropogénicas de CO_2, ya que se obtiene como molécula resultante en cualquier proceso de combustión.

El dióxido de carbono no es tóxico y forma parte de la corteza terrestre en un 0,033 %. Pero es el causante principal del efecto invernadero. Cada año, según estimaciones del Worldwatch Institute, la atmósfera recibe 6.000 millones de toneladas de carbono en forma de monóxido de carbono a causa de la gasolina quemada en los coches, emisiones industriales y los incendios forestales.

Su presencia en la atmósfera ha aumentado en este siglo de 300 a 350 partes por millón y se calcula que, al ritmo actual de producción, en 50 años se habrá llegado a 600 ppm.

La industria de transformación es responsable del 33% de las emisiones; el transporte, del 25%; la vivienda, del 27%; y el resto proviene de la industria energética. En España se emiten 300 millones de toneladas de CO_2 al año lo que da una media de 7,4 toneladas por habitante, siendo la media comunitaria de unas 11,5 toneladas.

Aunque el dióxido de carbono aparece como culpable en el efecto invernadero hay que precisar que una molécula de metano incide 60 veces más que una de CO_2; y una de CFC, unas 7.000 veces más.

Dioxina

Toda sustancia tóxica, difícilmente degradable. Las dioxinas son bioacumulativas, lipofílicas -se acumulan en los tejidos grasos- y cancerígenas al afectar al sistema inmunológico.

Disipación de energía

La radiación solar que entra en la biosfera se distribuye así: Convertida en calor, 46%; evaporación-precipitación (ciclo hidrológico), 23%; reflejada, 30%; vientos, olas y corrientes, 0,2% y fotosíntesis, 0,8%.

Dispersión de una población

Mayor o menor tendencia de los individuos a trasladarse, que viene determinada por las migraciones. Dos factores intervienen en la dispersión: La capacidad de movilidad del individuo y las barreras geográficas. Se llama *activa* cuando son los seres vivos los que se desplazan y *pasiva* cuando son los seres adheridos al sustrato los que son desplazados. Y en este caso se habla de tres modalidades, según sean transportados por el viento (anemócora), el agua (hidrócora) o animales (zoócora).

Distribución al azar

Es la distribución de individuos que no acostumbran a vivir en grupos numerosos y que desarrollan su vida en un ambiente con pocas variaciones.

Distribución de individuos

Organización de éstos en el seno de una población. La distribución puede ser espacial (al azar, uniforme, en agregados) o por edades.

Distribución en agregados

Es la distribución de individuos que mantienen competencias dentro de la especie generando la supervivencia de la misma, debido al equilibrio entre el agrupamiento y el aislamiento.

Distribución por edades

Es la distribución de individuos que se agrupan por capacidades propias de cada edad, dando lugar a tres grupos: Prerreproductivos (grupos jóvenes y en desarrollo), reproductivos (grupos adultos con capacidad de reproducción) y postreproductivos (su dominio implica una población regresiva).

Distribución uniforme

Es la distribución de individuos que mantienen competencia dentro de la especie debido a algún factor limitante en ambientes desfavorables.

Diversidad

Proporción entre el número de especies presentes y el número total de individuos de la comunidad.

Las variaciones en el ecosistema se producen por la tasa de emigración y la tasa de inmigración, determinadas por el número de individuos que abandonan o ingresan en la zona en una unidad de tiempo.

El aumento de una de las dos tasas puede llegar a producir cambios notables en la biodiversidad. Y por la tasa de crecimiento se representa el aumento o disminución del número de individuos de una población por unidad de tiempo.

En la naturaleza existen pocas especies ampliamente distribuidas y representadas por muchos individuos y un número creciente de especies más localizadas que requieren condiciones de vida más estrictamente definidas. Las especies que forman poblaciones menores ofrecen mayores oportunidades al aislamiento y a la deriva genética, de modo que cuando una entra en la vía de la especialización el número de especies puede crecer en proporción geométrica.

La regularidad en la distribución del número de individuos en especies asociadas se ha de relacionar con interacciones específicas de los ecosistemas. Una diversidad excesiva resultaría incompatible con el mantenimiento de una organización.

La pérdida de la diversidad biológica se debe a alguna de las siguientes causas: Sobreexplotación, deforestación, alteración de ciclos hidrológicos naturales, contaminación de aguas subterráneas y superficiales, introducción de especies y variedades exóticas y comercio de especie silvestres.

Dominancia

Influencia determinante que la especie llamada dominante ejerce sobre la comunidad, por ser la más abundante y reguladora del desarrollo de la biocenosis.

DQO

Demanda Química de Oxígeno. Es decir, cantidad de oxígeno que se necesita para la oxidación de la materia orgánica, empleando métodos químicos. Se expresa en miligramos por litro.

Ecoetiqueta

La Asociación Española de Normalización (AENOR) otorga la certificación de calidad de productos y ha preparado su certificado ecológico. Un comité formado por la Administración, consumidores, organizaciones ecologistas, fabricantes y laboratorios decidirá qué producto o empresa son acreedores de la etiqueta ecológica que ya existe en la Comunidad Europea. Se piensa aplicar en más de treinta sectores, y supondrá una garantía en el mercado.

Los objetivos que regula el Reglamento de la CEE 880/92 de etiqueta ecológica comunitaria son dos: Facilitar al consumidor información completa sobre las repercusiones ecológicas de los productos y fomentar el diseño, producción, comercialización y utilización de productos no perjudiciales para el medio ambiente durante todo su ciclo de vida.

Estas etiquetas regirán en el ámbito comunitario y serán utilizadas voluntariamente por los fabricantes y productores comunitarios en los productos menos perjudiciales para el medio ambiente con exclusión de productos famacéuticos, alimentos y bebidas.

Todo producto elaborado en la Unión Europea que tenga el logotipo de una margarita con doce pétalos da a entender que tiene una repercusión mínima en el medio ambiente en todo su proceso. Es difícil armonizar los criterios de los países miembros. La etiqueta ecológica implica un coste de producción; por ejemplo, los fabricantes de lavadoras y lavavajillas deben pagar la cifra de 500 Ecus por gastos de tramitacion y un canon del 0,15% de las ventas.

Ecología

Ernst Haeckel, en 1870, definió la ecología como el conocimiento referente a la economía de la naturaleza, la investigación de todas las relaciones del animal tanto con su medio inorgánico como con su medio orgánico, incluyendo sobre todo su relación amistosa u hostil con aquellos animales y plantas con los que se relaciona directa o indirectamente.

Las dos ramas fundamentales de la ecología son : Autoecología -estudio de las relaciones de una especie con su medio ambiente- y sinecología -estudio de las interrelaciones entre las poblaciones que componen la comunidad-.

Ecologismo

Como preocupación por la ecología conviene distinguir dos modos bien delimitados: a) De ricos: Se preocupan por conservación de grandes mamíferos, pérdida de paisaje, pérdida de diversidad biológica, producción de residuos y todo lo que haga perder calidad de vida. b) De pobres: Pérdida de acceso a los recursos naturales para vivir.

La lucha está entre la economía del valor de uso y la economía de beneficios. Hay un conflicto entre la economía y la ecología con el rótulo de desarrollo económico ecológicamente sostenible. Una economía más ecológica será a la vez justa y solidaria.

El ecologismo refleja en cierto modo la lucha Norte-Sur y el enriquecimiento mayor de los que son ricos a costa del empobrecimiento de los que ya son pobres. La explosión demográfica genera hambre, pobreza y dependencia. Los pobres se endeudan, aceptan por necesidad la explotación de sus recursos y aceptan tecnologías de los países ricos.

En el fondo late el concepto de progreso, que para unos es la búsqueda de un modo de vida considerado como mejor y para otros la simple supervivencia.

Las difererencias entre ricos y pobres se manifiestan en el producto interior bruto (PIB), alcances técnicos y sociales y el nivel de vida. Es cierto que hay una relación inversa entre nivel de vida y tasa de aumento de población y una relación directa entre la tasa de aumento de población y los efectos sobre el medio.

Pero el problema de la reducción de la población implica además otros problemas morales y religiosos.

El 85% de los europeos considera que el medio ambiente es un problema inmediato y urgente. Y, a su vez, el 85% de estos entiende que el desarrollo económico debe realizarse sin agredir al entorno.

Ecologista

Persona física o jurídica interesada en la ecología y protección del medio ambiente; y también se denomina, por extensión, ecologistas a los individuos pertenecientes a los distintos movimientos sociales y políticos que tienen esta finalidad.

Hay censadas en España 600 organizaciones ecologistas y cuatro de ellas cuentan con el 90% de la militancia. Su máxima es: "Pensar globalmente, actuar localmente".

Ecólogo

Científico especializado en el estudio de la ecología. No debe confundirse con ecologista.

Economía y medio ambiente

No puede en modo alguno olvidarse que el problema ecológico es, al final, además de una cuestión moral, una cuestión fundamentalmente económica. Y estas son algunas de las consideraciones al efecto que han de tenerse en cuenta en toda decisión sobre la ecología:

1. Renunciar a los grandes proyectos y al principio de la economía de escala.
2. Incrementar los esfuerzos por estudiar y descifrar el significado de los costes ecológicos y sociales debidos a los procesos económicos en general.
3. Política de afianzamiento de las peculiaridades económicas regionales.
4. Conservación máxima de materias primas y energía con la idea de una economía de stoks más que de flujos.

Una gestión ecológica bien implantada no supera un aumento del 2% en los costes y además las ayudas públicas pueden llegar al 60% de los estudios medioambientales (un 30% en las pequeñas y medianas empresas para la adopción de medidas de adaptación).

Conviene recordar que el delito ecológico parte de una ley de 1983 pudiendo las sanciones alcanzar hasta los 200 millones de pesetas, aunque en general las penas por infracciones son bajas.

Pero más que en las sanciones, una política económica auténticamente protectora del medio ambiente ha de fijarse en la consecución de ciertos objetivos: Minimización de impacto, reducción de contaminación, optimización de recursos, reciclado de materias primas y agua, ahorro de energía y compromiso de desarrollo sostenido. E igualmente en la fijación de ciertos objetivos legales: el cumplimiento de la legislación y definición de responsabilidades sociales -mejorar la imagen y las relaciones con el poder- y económicas -reducir costes de producción, incrementar la competitividad y reducir primas de aseguramiento para evitar riesgos-.

Ecosistema

Conjunto formado por un biotopo (parte abiótica) y biocenosis (parte biótica). No se puede hablar de un límite definido en un ecosistema, pues cabe siempre la posiblidad de incluirlo en otro más amplio. El ecosistema más grande es la ecosfera, al estar formado por una biocenosis (Biosfera) y un biotopo (Tierra). Los ecosistemas, atendiendo a su tamaño, pueden clasificarse en micro, meso y macroecosistemas.

También se entiende como ecosistema a la una unidad formada por el conjunto de organismos -vegetales y animales- que se dan en un medio físico concreto; p. ej. un lago, una montaña, un río, etc.

Se considera que un ecosistema es maduro si alberga una riqueza de especies y en consecuencia gran número de nichos ecológicos. Cuando esto sucede el ecosistema es más resistente a los cambios pues es capaz de autocontrolarse.

Considerado como la unidad fundamental para el estudio ecológico, los componentes abióticos del ecosistema determinan el tipo de organismos (productores primarios, herbívoros, carnívoros y descomponedores) que se reparten entre los diferentes niveles tróficos.

Ecosistema construido

Se utiliza esta denominación para referirse al ecosistema en el que se han transformado o eliminado las condiciones naturales en beneficio de las necesidades humanas. El modelo tipo es la ciudad.

Ecosistema cultivado

Suele en ocasiones utilizarse esta denominación para referirse a todo ecosistema en el que el impacto producido por el hombre es superior al producido por cualquier otra especie viva. Ejemplo: las tierras de cultivo y plantaciones de bosque.

Ecosistema modificado

Aquel en que el impacto humano supera al de las demás especies; pero sin cultivo de sus componentes estructurales. Es el caso de las áreas forestales y las tierras de pasto.

Ecotasa

Impuesto acordado por la Comunidad Europea para gravar las emisiones de dióxido de carbono a fin de cumplir los compromisos de la Cumbre de Río, que establecen retrotraer la contaminación del año 2.000 al nivel de 1990. La ecotasa exige tanto el acuerdo de economía con medio ambiente como la regulación mediante instrumentos fiscales del producto elaborado.

Ecotipo

Subespecie adaptada a un ecosistema específico.

Ecotono

Las líneas de contacto entre un ecosistema y otro se denominan ecotono y constituyen los límites del biotopo. Se llama efecto de borde la tendencia de los ecotonos a tener más especies que los biotopos que lo forman al agrupar especies de cada uno de ellos, pudiendo provocarse la transformación de un ecotono en un nuevo sistema.

Ecotrans

Proyecto de red europea de documentación e información sobre turismo y medio ambiente.

Ecoturismo

Es un aspecto de la industria turística destinado al uso y disfrute del paisaje, flora y fauna conservando el patrimonio natural. Surge del talante de buscar la relación armónica entre la utilización de la naturaleza y la cultura del ocio. Hoy mueve a más de 80 millones de personas en el mundo, suponiendo el 15% de la actividad del sector turístico. Exige un estricto control a causa del peligro que supone el impacto de visitas masivas a los patrimonios naturales.

El ecoturismo es un problema de sensibilidad y ética. Los llamados albergues ecológicos que se extienden a ritmo creciente suponen un freno a la sociedad del despilfarro e implican dos aspectos clave: Protección de la naturaleza y mercado.

Una iniciativa interesante en el ecoturismo es la intención de acondicionar 110 kilómetros de líneas ferroviarias en desuso en Girona, León y Alicante para cicloturismo, dentro del Plan Nacional de Recuperación de Infraestructuras Abandonadas de los Ferrocarriles, Canales y Cañadas.

Ectoparásitos

Parásito que vive sobre el tegumento externo de un animal. Ej.: piojo.

Edafología

Estudio de los suelos desde el punto de vista físico, biológico y químico.

Educación ambiental

Lanzada la proclama y grito de alerta (contaminación, explotación abusiva de recursos, crisis energética) el mundo político tuvo que hacer caso a estos problemas. Por ello la educación ambiental ocupa un lugar no menos importante que la renovación tecnológica ya que los problemas no se resolverán sin activar las conciencias cívicas.

Los movimientos ecologistas son los iniciadores de este nuevo talante. Es cierto que los grandes problemas no los soluciona el ciudadano y no debe nunca reducirse a un catálogo de buenas intenciones meramente proteccionistas. La nueva sociedad no debe sino subvertir tanto el fondo como las formas, no con recetas de moralina sino con hábitos establecidos. No es sino conocer la naturaleza con naturalidad y han de ser las minorías activas las que asuman esta responsabilidad para ir creando un tejido social concienciado rompiendo las inercias. Y esto se inicia en la escuela.

Efecto de borde

Vid. ecotono.

Efecto invernadero

Los datos proporcionados por el World Resources Institute indican que la absorción de radiación terrestre por parte de algunos gases constituyentes de la atmósfera producen el efecto invernadero:

1. CO_2: 500 años de vida, contribuye en un 54% al calentamiento de la Tierra.
2. H_2O y O_3: Horas de vida, contribuye en un 8%.
3. Metano: De 7 a 10 años de vida, contribuye en un 12%.
4. Óxido nitroso: 140 a 190 años de vida, contribuye en un 6%.
5. CFC's 11 y 12: De 60 a 110 años de vida, contribuyen en un 21%.

Cuando un gas absorbe poco en la zona del visible y mucho en la zona del infrarrojo y ese gas es un constituyente de la atmósfera, contribuye a aumentar la temperatura en superficie del planeta.

Este calentamiento resulta del hecho de que la radiación entrante puede penetrar hasta la superficie terrestre con relativamente poca absorción, mientras que gran parte de la radiación saliente queda "atrapada" por la atmósfera y es reemitida hacia la superficie.

Un 30% de la radiación solar se refleja y es captada por el dióxido de carbono, metano y otros gases emitidos desde la superficie que la reenvían a ella. Aunque la radiación saliente mantiene el equilibrio, la reflexión y el reenvío elevan la temperatura en las zonas bajas de la atmósfera.

Estos gases se acumulan en los llamados depósitos, que son uno o más componentes del sistema climático donde se acumula un gas de efecto invernadero, un aerosol o un precursor de un gas de efecto invernadero que se emana de una fuente -que es cualquier proceso o actividad que libera uno de esos gases-.

Hay una preocupación mundial por el efecto invernadero. Prueba de ello es que en 1990 se celebró en Ginebra la Segunda Conferencia Mundial sobre el Clima; y el Convenio sobre el Cambio Climático en Río estableció que son gases de efecto invernadero todos aquellos componentes gaseosos de la atmósfera, tanto naturales como producidos por el hombre que absorben y reemiten la radiación infrarroja.

Los objetivos que se ha propuesto el Convenio sobre el Cambio climático son:

1. Conseguir la estabilización de las concentraciones de gases de efecto invernadero a la atmósfera a un nivel que impida interferencias provocadas por el hombre peligrosas en el sistema climático.
2. Este nivel se ha de conseguir en un plazo suficiente para que los ecosistemas se adapten naturalmente al cambio climático y para asegurar que la producción de alimentos no se vea amenazada y para que permita al desarrollo económico continuo de manera sostenible.

Efluente

Se dice así a cualquier clase de vertido.

EIA

Evaluación de Impacto Ambiental. Es un conjunto de acciones que tienen como objetivo la identificación, predicción, y prevención de las consecuencias ambientales que determinadas acciones pueden causar sobre la salud, el entorno y el bienestar en general.

El Real Decreto 1.131/88 lo define como "un conjunto de estudios y sistemas técnicos que permiten estimar los efectos que la ejecución de un determinado proyecto, obra o actividad causa sobre el medio ambiente".

Los aspectos que debe considerar un estudio de impacto ambiental son: Análisis del proyecto, definición del entorno, previsión de efectos, identificación de acciones y de factores, identificación de impactos, valoración de los mismos, medidas correctoras e informe final.

Es decir, que el E. I. A. parte de la consideración de que los factores medioambientales que pueden verse afectados en mayor o menor medida por las acciones humanas son: Físico-químicos, biológicos, paisajísticos, sociales, culturales, humanos y económicos.

Un correcto inventario de las condiciones del medio debe comprender los siguientes apartados:

1. Áreas especiales: Acuíferos, áreas geológicas especiales, bosques, hábitats con especies endémicas, humedales y parques naturales.
2. Aspectos socioeconómicos y culturales: Población, actividad, niveles sociales, niveles económicos y recursos (arqueológicos, históricos, arquitectónicos, y naturales)
3. Clima: Condiciones climáticas de la zona, localización de microclimas, temperaturas, precipitaciones, vientos, calidad del aire, humedad y niebla.
4. Fauna: Biotopos, área de distribución, cadenas tróficas y especies en peligro.
5. Edafología: Profundidad del estrato rocoso, estructura, contenido de materia orgánica, valores de pH, drenaje, coeficientes de erosión y usos.
6. Hidrología: Área de la cuenca, evaporación, coeficiente de escorrentía, balance hídrico, temperatura, suspensión de sólidos y eutrofización.
7. Litología: Drenaje e inundaciones, formaciones geológicas y recursos mineros.
8. Vegetación: Diversidad de especies, nivel de degradación, productividad,

sensibilidad al fuego y especies en peligro.

Eluviación

Movimiento de aguas y lodos sobre la superficie de un terreno cuando la lluvia excede a la evaporación.

Emisario

Canal de desagüe de las aguas residuales. Regulado por la Orden 13/7/93.

En las zonas costeras debe estar situado su extremo efluente a un determinado número de millas de la costa. Su problema es la profundidad a que debe estar enterrado y las corrientes de agua, a fin de impedir que los vertidos retornen a la costa.

Los emisarios submarinos vienen a ser como las altas chimeneas de la industria: No eliminan el problema del vertido sino que lo alejan y lo apartan de la vista; pero no solucionan el problema definitivamente. A ello se añade que algunos contaminantes vertidos por los emisarios son persistentes y bioacumulativos. Es el caso de los metales pesados y compuestos organoclorados que van a parar al mar instalándose en la cadena trófica.

Emisión

Conjunto de sustancias que procedentes de fuentes diversas -procesos industriales, humos, escape de automóviles, etc.- se lanzan a la atmósfera difundiéndose y diluyéndose en ella. La concentración máxima de emisión (CME) es la cantidad de contaminante autorizado para cada una de las diversas fuentes.

Endemismo

Condición que soportan algunos seres vivos de vivir en una zona muy restringida a causa de la actividad del hombre que allí lo ha recluido o debido a otras causas naturales. Todo endemismo puede tener como final la desaparición de la especie, pues fuera de ese hábitat no pueden seobrevivir. Es lo contrario de la riqueza. Ejemplo: urogallo cantábrico.

Endoparásito

Organismo que vive dentro de otro como parásito. Ej.: tenia.

Energética, política

La energía en sí no tiene valor, lo adquiere en función de su uso y capacidad para cubrir necesidades humanas.

Una política energética racional implicaría reducir el consumo por unidad de producto industrial -para evitar penuria de recursos no renovables-, desviar las preferencias económicas más hacia la educación y la salud que hacia bienes materiales y priorizar la producción de alimentos suficientes para todos evitando desigualdades de distribución.

Es necesario, en una adecuada política energética tener en cuenta estos aspectos: La relación entre reservas naturales y consumo, el estudio de la demanda de calor segun su nivel térmico, ser conscientes de que las fuentes de energía contaminan, por las sustancias tóxicas que emiten o por las sustancias de desecho que producen. Olvidarlos supondrá encarecer la producción del bien fabricado y en definitiva aumentar los gastos del sistema directa o indirectamente.

Energía

Capacidad de la materia para producir trabajo. En física se entiende que hay trabajo cuando se da una fuerza capaz de trasladar un objeto. A esto se le llama trabajo mecánico.

Las formas de energía son: Eléctrica, electromagnética, interna, mecánica (potencial, gravitatoria, elástica, neumática, cinética), nuclear (fisión, fusión), química y térmica.

Las fuentes de energía se clasifican en renovables y no renovables.

Renovables: Solar, eólica, geotérmica, mareomotriz, térmica, marina/ de las olas, biomasa e hidráulica.

No renovables: Carbón, petróleo, gas natural, deuterio y uranio.

Energía alternativa

Se engloban con este calificativo todos aquellos métodos para la obtención de energía que tratan de minimizar el impacto sobre el medio ambiente; como por ejemplo las energías eólica, solar, mareomotriz, de biomasa, etc.

Energía, consumo de

El consumo mundial de energía se distribuye así: 40% en medios de transporte, 35% en industria y el resto en residencia.

El consumo humano en 1900 era de 21 hexajulios de energía y en 1990, de 340 hexajulios. Así, mientras que la población sólo se había multiplicado por tres, el consumo de energía se multiplicó por dieciséis.

Para producir un millón de kilowatios en una central eléctrica hacen falta 2,5 millones de toneladas de carbón, u 11 millones de barriles de petróleo, 28 Toneladas de uranio en una central de fisión u 800 kilogramos de deuterio y tritio en una de fusión.

El coste medio de un kw/hora en pesetas es de: Fuel-gas, 20,49; lignito negro, 9,72; lignito pardo, 8,65; hulla, 8,46; nuclear, 7,74; carbón importado, 7,22; hidroeléctrica, 5,99.

En cuanto a la relación energía-contaminación, los modelos matemáticos que se aplican a la energía y los contaminantes que desprenden son modelos matemáticos lineales y el sistema climático no es lineal, sino caótico. No se trata sólo de resolver los problemas matemáticamente, pues no se dispone de capacidad para aplicarlos al comportamiento climático.

Energía de biomasa

Hablar de biomasa como concepto de energía es hablar en realidad de la energía solar convertida por la vegetación en materia orgánica.

Esa energía es recuperable por combustión directa o por transformación de la materia orgánica en otros combustibles. Existen diversos métodos de tratamiento de la biomasa: Trituración, densificación, pirólisis, gasificación, digestión anaerobia, fermentación alcohólica, etc.

Al final se obtiene un combustible sólido, líquido o gaseoso que puede ser empleado en multitud de aplicaciones domésticas o industriales. Por ejemplo los pellets y las briquetas (pequeños cilindros de biomasa compactada) sustituyen directamente al carbón en las calderas diseñadas para este combustible, mejorando en eficacia energética, medioambiental y económica.

El interés medioambiental de la biomasa reside en que siempre se obtenga de una forma renovable y sostenible; es decir, que el consumo no vaya a más velocidad que la capacidad del bosque.

Pero es la única fuente de energía que aporta un balance de CO_2 favorable, dado que la materia orgánica es capaz de retener durante su crecimiento más CO_2 del que se libera en su combustión.

Las fuentes de biomasa pueden agruparse así: Vegetal (procedente de la fotosíntesis), animal (la que producen los herbívoros), residual (sea de producción o de transformación) y fósil (carbón, gas natural y petróleo).

Energía de fusión

Bastan unos gramos de combustible para obtener partículas altamente energéticas (alfa) que se autocalientan y producen ignición. El primer reactor de fusión con un coste de 5.000 millones de dolares se prevé que pueda funcionar en el año 2005 y estaría capacitado para generar 1.300 millones de watios; pero hasta esa fecha no podrá ponerse en pleno funcionamiento.

Los problemas que presenta son la extracción de la energía y la fabricación de materiales capaces de soportar las altas temperaturas. La ventaja es que no produce elementos radiactivos de largo alcance.

La denominada bomba de hidrógeno es la bomba atómica de fusión. Se libera energía cuando se funden dos núcleos ligeros para originar otro más pesado. Esto ocurre al fusionar dos núcleos de hidrógeno para dar uno de helio. La reacción de fusión se ceba mediante una bomba de fisión. Se genera más energía que por la fisión, pero exige para provocarla una temperatura superior al millón de grados; de ahí que también se denomine reacción termonuclear. Iniciada esta reacción, y debido al calor desprendido, continúa por sí misma.

Energía de hidrógeno

La producida por el hidrógeno obtenido al disociar el agua. Es en ese caso un combustible limpio, su combustión produce agua y óxido de nitrógeno, pero no produce óxidos de azufre ni monóxido de carbono.

Con la energía solar puede producirse, por electrólisis del agua, Hidrógeno. Éste es fácil de almacenar y de transportar, puede ser el combustible del futuro, permitiendo que la energía producida en los lugares soleados pueda ser empleada en cualquier otro sitio.

Energía de mareas

Se aprovecha la energía contenida en el mar a través de las mareas, las olas y las diferencias térmicas en sus capas. En cualquier caso, presenta el inconveniente del elevado coste de instalación y escaso desarrollo tecnológico.

Cuando el rango de subida de la marea supera los 5 metros se puede producir electricidad competitivamente, mediante turbinas colocadas en una presa. Es la fuente de energía con una mayor eficiencia en la conversión, con la ventaja de ser totalmente predecible.

Energía de olas/energía marina

En algunos casos se trata de aprovechar a través de bombas hidráulicas el movimiento de cuerpos oscilantes movidos por las olas. A nivel experimental se encuentran sistemas como los convertidores de energía de las olas en mar abierto, las turbinas sumergidas en corrientes rápidas o la conversión de la energía térmica de los océanos.

Se empezó a experimentar en Noruega y se calcula que existen unos 30 lugares apropiados para la obtención de esta energía en todo el mundo.

Los dispositivos para aprovechar la energía de las olas son bastante respetuosos con el medio ambiente aunque el nivel de desarrollo técnico y comercial actualmente es inferior al de otras energías alternativas.

La energía mareomotriz, que se basa en el movimiento de las mareas, resulta competitiva a partir de una oscilación de 5 metros. Es esta la fuente más competitiva porque proporciona una energía altamente eficiente (un 80%) y su disponibilidad alcanza hasta un 95% del tiempo y a ello añade su natural predecibilidad.

Energía eólica

Procedente del viento. Se trata de una energía renovable y limpia y la producción en serie no reviste problemas importantes. Su energía se produce en centrales pequeñas, tecnológicamente sencillas, de construcción rápida y de muy fácil mantenimiento.

Los modelos actuales de aerogeneradores están controlados electrónicamente de modo que las aspas giran al ritmo más adecuado, según las condiciones meteorológicas del momento. Así se incrementa su rendimiento y, al mismo tiempo, se consiguen reducir los costos de mantenimiento y de desgaste de sus piezas.

Otra de las grandes ventajas es que los aerogeneradores pueden coexistir tranquilamente con los campos de cultivo y con las granjas en los que suelen ser instalados. Los problemas de ruido han sido solventados satisfactoriamente y quizás el más grave inconveniente que presentan los aerogeneradores es para las aves que habitan en las zonas de las centrales eólicas.

La UE prevé que para el año 2000 se generarán en Europa 4.000 megavatios gracias a los generadores eólicos, para llegar en el año 2030 a los 100.000; lo que implicaría una inversión de 3.000 millones de dólares.

España dispone de generadores eólicos en lugares propicios como Tarifa.

Energía fósil

Procede de la combustión de materiales fósiles: carbón, petróleo o gas.

Energía fotovoltaica

(Vid. Energía solar). Basada en el efecto fotoeléctrico. Para producirla se utilizan superficies semiconductoras llamadas células fotovoltaicas. Estas células se fabrican con silicio, que resulta barato por ser el elemento más abudante en la corteza terrestre. Pero aún resulta una fuente de energía cara y poco competitiva, sólo es rentable si se consume en el mismo lugar donde se produce.

El silicio obtenido mediante procesos industriales cristaliza en una estructura tal que cada átomo está en el centro de un tetraedro regular, encontrándose en sus vértices los núcleos de los cuatro átomos más próximos. Cada átomo de la red comparte sus cuatro electrones de la capa más externa con los cuatro más próximos, creándose así un cristal de gran estabilidad. Cuando un fotón incide sobre un electrón de enlace éste absorberá la energía del fotón. El panel fotovoltaico suele conectarse en paralelo con una batería. La corriente continua de doce voltios suministrada por el panel debe transformarse a corriente alterna.

Suele considerarse que un panel de silicio tiene un aprovechamiento máximo de sólo un 18%, y puede ser sustituido por germanio o arseniuro de galio. Suele utilizarse para edificios aislados, repetidores, faros, boyas, juguetes, calculadoras.

En los tendidos de energía hay que contar además con el costo en impacto ambiental.

Energía geotérmica

Energía generada a partir del calor del interior de la Tierra. Es viable en algunos países en los que la estructura de la corteza terrestre es favorable, como en el caso de Islandia. El vapor del yacimiento se conduce por tuberías y al centrifugarse se obtiene una mezcla de agua y vapor de modo que éste, seco, va a turbinas de alta presión.

El agua se somete a un nuevo proceso de separación que da vapor a menos presión y se dirige a las turbinas de baja presión. El resultado final es agua a alta temperatura que es reinyectada de nuevo al yacimiento geotérmico por ser corrosiva.

El calor necesario puede provenir de incineración de basuras o de otra central térmica. Los puntos ideales para la energía gotérmica natural están en las zonas de separación entre placas tectónicas. En España la temperatura aumenta 3° por cada 100 metros de profundidad. Pero en esas zonas especiales el aumento pude ser de 100° y se encuentran en Nueva Zelanda, Hawai, Islandia, Turquía, América Central, etc.

La detección de estas zonas es localizable por géiseres, manantiales y fumarolas y el agua se calienta debido al calor desprendido por el magma. Las condiciones para su uso energético vendrán dadas por la temperatura, caudal y presión.

El alto contenido en sales de este agua exige para no contaminar que la sobrante se devuelva al yacimiento. La energía producida es notable -en California, por ejemplo, se obtienen así 133 megavatios-; pero la energía geotérmica supone sólo un 1% del total producido en la Tierra. Su uso es costosísimo.

El potencial geotérmico de España es de 600.000 toneladas equivalentes de petróleo anuales, pero actualmente sólo se aprovechan unas 3.400.

Energía hidroeléctrica

Aprovecha la fuerza de un curso de agua. La fuerza del agua al descender por un salto desde una presa y hacer girar las aspas de una turbina conectada a un alternador es el fundamento de la energía hidráulica.

El agua es el combustible que permite generar la energía eléctrica con mayor y mejor capacidad de respuesta, mucho más que la obtenida con fuel, carbón o uranio.

La obtención de energía hidroeléctrica implica construir centrales que suponen perder grandes zonas de tierra de cultivo y además se alteran los cauces naturales de las corrientes de agua; y eso implica alteraciones en el ecosistema.

Las minicentrales causan muy poco impacto ambiental y no superan los 5 megavatios de potencia. Pueden instalarse en canales de riego o en cursos de ríos.

En el Tercer Mundo sólo se usa un 8% del potencial hidráulico.

Energía incorporada

Es un concepto que se utiliza para indicar la cantidad de energía que se necesita para generar un flujo o mantener un proceso. Es, pues, un concepto que expresa valor pues indica la cantidad de energía que debe aportarse a un determinado tipo para obtener otro más valioso.

Energía nuclear

La que se obtiene mediante el calor desprendido por la fisión de los átomos de uranio u otros elementos radioactivos. (Vid. Fisión nuclear)

Un reactor nuclear es una cápsula presurizada en la que se produce una reacción en cadena en el núcleo, refrigerada y moderada por agua. Esta agua es sometida a presión en esa vasija presurizada. El calor que se desprende se usa para crear vapor de agua, que tras pasar por un sistema de turbinas, es transformado mediante unos alternadores en energía eléctrica.

El principal problema que presenta la energía nuclear es la eliminación de los residuos. (Vid. Residuos radiactivos).

Y su gran ventaja es que existen muchas reservas de materia prima; por ejemplo, en Oceanía habrá reservas de uranio hasta dentro de 200 años.

Pero la minería del uranio es costosa: Hay que mover 3 millones de toneladas de roca, se tratan a continuación 460.000 toneladas de mineral para producir al final 225 toneladas de uranio. A eso hay que añadir que dicho proceso minero provoca la liberación de grandes cantidades de radón, efluentes y contaminación de los acuíferos.

La bomba de fisión, que se empezó a utilizar en 1958, necesita unos 5 kilogramos de plutonio para poder fabricarse. La reacción en cadena que se produce equivale a miles de toneladas de TNT; es decir, una bomba de fisión oscila entre un kilotón (1.000 toneladas) y 20 megatones (20 millones de Toneladas).

Energía renovable

La que se produce en la Tierra por fenómenos naturales: Sol, ríos, viento, biomasa, agua, olas, calor de la tierra, etc.

Energía no renovable es la que se obtiene de materias con reservas limitadas, como el carbón, 375 años; gas natural, 60 años; uranio, 75 años, etc.

Siendo los combustibles fósiles finitos y contaminantes, y dada la peligrosidad de la energía nuclear, es lógico que se haya pensado en la sustitución de esas fuentes energéticas por otras renovables. El problema es la dificultad en su explotación, pero previsiblemente la necesidad obligará a la creación de una tecnología apropiada.

El sol es una de las fuentes fundamentales, ya que en un año la Tierra recibe una energía solar equivalente a 60 millones de Toneladas de petróleo.

Energía solar

La radiación que llega a la Tierra es de unos 200 vatios por metro cuadrado al año; lo que significa que, en teoría, con la mitad de España dedicada a la producción de energía por este procedimiento bastaría para todo el universo. Cada año llega a la superficie terrestre el equivalente a 60 billones de tep en forma de energía solar. Pero el problema es que llega de forma intermitente y aleatoria. En zonas con muchas horas de insolación puede ser una buena energía alternativa.

El aprovechamiento se puede hacer mediante dos procedimientos:

a) Convirtiéndola en energía térmica mediante el procedimiento de conversión térmica.

b) Mediante su conversión directa en electricidad (fotovoltaica).

En el primer caso la energía se capta mediante una superficie que sea capaz de absorber el calor, que lo transfiere a un fluido, preferiblemente agua. Hay conversores de baja temperatura, (90 °C); de media temperatura (de 90° a 300 °C). Utilizan colectores de concentración: Superficie cóncava reflectante que concentra el calor en un conductor por el que pasa aceite que alcanza los 30 °C, y así se produce vapor que se utilizará para generar electricidad); y de alta temperatura (más de 300 °C): Una gran superficie de espejos concentra la radiación en una caldera o receptor en lo alto de una torre. Allí se calienta el fluido hasta que se vaporiza y pone en marcha un grupo de turbinas que producen energía eléctrica.

La energía solar fotovoltaica se basa en el efecto fotoeléctrico. El elemento base de la conversión fotovoltaica es la célula solar, fabricada con silicio.

Es una fuente de electricidad que puede ser vertida a la red eléctrica. Sus ventajas son la limpieza, seguridad, silencio y mínimo mantenimiento. (Vid. Energía fotovoltaica). El desarrollo fotovoltaico abre también la puerta a la llamada economía del hidrógeno.

Energía solar termo-eléctrica

Método primero: La radiación se capta por medio de un campo de heliostatos (espejos que giran dirigiéndose siempre al sol). Los rayos recibidos se concentran en un punto que hace de receptor. Además, la energía térmica también puede ser almacenada en acumuladores de calor.

Por el receptor (de material cerámico) circula un fluido que cede calor a un circuito de agua que absorbe el calor y al evaporarse mueve una turbina. Ésta se conecta a un alternador y produce energía eléctrica.

El problema de este método es que la fabricación de los heliostatos resulta muy cara.

Método segundo: Mediante discos parabólicos, que son espejos montados sobre una estructura parabólica que sigue el movimiento del sol. Así se concentra la radiación en un foco solidario al disco en el que hay un receptor.

Método tercero: Los dos anteriores son para sistemas de alta concentración. Este tercero es para sistemas de baja concentración y consiste en un sistema de colectores cilindro-parabólicos. El sistema es semejante al anterior con la ventaja de que es más barato ya que el receptor no está tan alejado de los espejos y no son los espejos tan grandes.

Método cuarto: (Horno solar). Un heliostato plano que sigue el movimiento del sol y refleja la luz en un espejo parabólico fijo. Así se llegan a alcanzar los 3.000 °C de temperatura. Utilizable industrialmente y en fines militares.

La alta temperatura se puede utilizar para obtención de hidrógeno o para la desalinización del agua de mar.

Método quinto: La utilización casera de energía, mediante un colector plano y aplicándole el efecto invernadero. Por el receptor se sitúa un tubo con fluido que se calienta y genera agua caliente doméstica.

Epibiosis

Relación biótica interespecífica que se da cuando una especie vive sobre otra. Ej.: Plantas epifitas.

Epidemia

Es la aparición simultánea de un gran número de casos de una determinada enfermedad transmisible en un área definida y con tendencias expansivas. Las epidemias surgen de la diseminación de la enfermedad a partir de una zona endémica. Los movimientos migratorios aumentan las posibilidades de la extensión de la epidemia. Las barreras naturales de un ecosistema lo protegen de la epidemia. Aunque la enfermedad remita en sus manifestaciones e incluso se extinga, puede permanecer en ciertos focos de endemia o en los infectados en estado latente. Bastará cualquier alteración grave en el ecosistema para que la epidemia rebrote. Ejemplo: Mixomatosis del conejo.

Epifito

Vegetal que vive en la superficie de otro sin parasitarlo. Ej.: musgos y líquenes.

Epigeos

Aquellos animales que al tener que apoyarse en suelos blandos, e incluso lacustres, disponen de extremidades adaptadas a función de remo. En general, es epigeo todo animal que vive sobre una superficie y se dice especialmente de los insectos.

Equilibrio

Tendencia natural de los ecosistemas y de las relaciones entre las especies diferentes de un ecosistema. Es un equilibrio dinámico y su mayor o menor dinamismo depende de la madurez del ecosistema, acabando por ser un movimiento cíclico.

Equivalente ecológico

Se llaman así a las especies ecológicamente similares. Es decir, que su hábitat es distinto pero su nicho es similar. Por ejemplo, son equivalentes ecológicos el bisonte y la vaca. Vid. Especies vicarias.

Erosión

Arranque y transporte por agua y viento de partículas del suelo. Al chocar contra otras zonas del suelo lo van puliendo y modificando. Y al ser arrancadas queda una zona sin nada que lo proteja y vuelva a cubrir de tierra que permite la vida de la planta.

Los agentes naturales de la erosión son el oleaje, el viento y el agua; y los artificiales, la agricultura, actividades industriales, etc.

Los principales efectos de la erosión son el empobrecimiento de los suelos por eliminación de los nutrientes, los cambios en los mecanismos de escorrentía y un aumento en la evaporación.

La mayor o menor gravedad del proceso erosivo se pondera de acuerdo con la siguiente escala:

Grado 1: Erosión acelerada sin alteración notable del horizonte A.

Grado 2: Cuando la pérdida del horizonte A se cifra entre un 25 y un 75%.

Grado 3: Cuando se produce pérdida de más del setenta y cinco por ciento del horizonte A.

Grado 4: Supone la pérdida total de la capacidad productiva del suelo.

En España se pierden por la erosión unos 1.000 millones de toneladas de suelo fértil. La erosión es el paso previo a la desertificación.

El agua no sólo es agente de la erosión sino también vehículo. Los procesos erosivos no sólo producen daños allá donde se inician sino también en lugares alejados de los puntos de origen.

La desertificación es un proceso que puede reproducirse una vez que comienza. Siendo el hombre el agente, el resultado es la creación de áreas desertificadas en regiones donde, desde el estricto punto de vista del clima, tal degradación nunca tendría que haber ocurrido, como es el caso de la llamada "España húmeda".

En el desierto, la lluvia produce erosión. Y la erosión produce sedimentos en los cauces, lo cual disminuye la capacidad de desagüe de los ríos agravando los efectos de las avenidas.

Otro aspecto de extraordinaria importancia es la acentuación de las irregularidades en el régimen fluvial, que en algunas regiones de España está relacionada con la escasa capacidad para la infiltración y almacenamiento de agua de los suelos erosionados de la cuenca vertiente.

Esciófilas
Plantas que buscan la menor cantidad posible de insolación. Ej.: Hierba de la Trinidad.

Escorrentía
Es el paso natural de las aguas por la superficie terrestre, produciendo fenómenos de erosión sobre los materiales por los que pasa, transporte de sales y sedimentación de las mismas.

Especiación
Formación de nuevas especies a partir de otra anterior.

Especie
Unidad taxonómica mediante la que se agrupan individuos de semejantes características que producen descendencia. La muestra representativa de una especie se llama holotipo.

Especie dominante
La más numerosa en un ecosistema hasta el punto de que condiciona la existencia de las demás, marcando el límite del ecosistema que llega hasta el punto en que pierde su dominancia.

Especie en peligro
La UICN señala que están en peligro 698 especies de mamíferos, 1.047 de aves, 191 de reptiles, 63 de anfibios, 762 de peces, y 2.250 de invertebrados. Crear zonas protegidas para la vida silvestre es una medida para garantizar la biodiversidad. Hay 3.000 de estas zonas en todo el mundo.
Algunas especies en peligro inminente de extinción, según CITES, son: Tigre, pantera nebulosa, cacatúa negra del

pandanal, cacatúa de las molucas, cactus de roca mejicano, cactus pediocactus, orquídeas, oso malayo del sol, titi león, ciervo almizclero, cocodrilo del Orinocco y del Nilo, guacamayo de spix y guacamayo jacinto.
Algunas de las especies animales en peligro en España son: Águila imperial, cabra hispánica, foca monje, lince ibérico, oso pardo, quebrantahuesos y voltor mallorquín.

Especie oportunista/pionera
Es aquella que en un proceso de dispersión de la población ocupa una determinada área en primer lugar.

Especie recesiva
Especie menos numerosa en un ecosistema hasta el punto de que queda en estado latente tendiendo a su desaparición. Marca el límite inferior del ecosistema.

Especies vicarias
Aquellas que perteneciendo al mismo grupo taxonómico y ocupando hábitats semejantes tienen el mismo nicho ecológico, aunque ocupen áreas biogeográficas distintas. Si éstas desaparecen surge la competencia. Son por ello equivalentes ecológicos.

Esperanza de vida
Cálculo teórico del tiempo de permanencia con vida de una especie. Puede ser alta, media o baja, según se considere que teóricamente todos, la mayoría o muy pocos alcanzan el ciclo vital completo.

Esquilmar
Agotar una fuente de riqueza al obtener más provecho del que naturalmente pueda ofrecer sin atender a su regeneración cíclica.

Estabilidad de flexibilidad
Es la recuperación que se da en un ecosistema cuando se ha producido una alteración. La rapidez en la recuperación

está en función de la diversidad de especies que componen el ecosistema.

Estabilidad de resistencia
Capacidad que tiene un ecosistema para mantenerse estable ante una alteración.

Estenohalino
Todo animal marino que necesita vivir en aguas con salinidad constante. En consecuencia, su mayor zona de peligro es la desembocadura de los ríos. Ej.: Equinodermos.

Estenotermo
Animal que necesita vivir en una zona con temperatura constante. Sus temperaturas extremas están en una banda de tolerancia muy reducida, su vida se desarrollará, pues, en hábitats muy poco variables. Ej.: Bacalao.

Estepa
Bioma terrestre propio de zonas con clima continental semiárido, precipitación inferior a la evaporación, clima extremo y capa verde de reducido tamaño. En algunas zonas hay erosión y en otras pequeños arbustos. Puede considerarse como predesértica.

Estrategas de K
Se denominan así a las poblaciones que tienden a adaptarse a la capacidad del medio (K), situación propia de ecosistemas estables. Su población es constante, tiende a acercarse lentamente a la capacidad del medio y da lugar a comunidades saturadas. Es propia de una etapa final en la sucesión.

Estrategas de R
Son las poblaciones que tienden a adaptarse a la capacidad del medio (K) y se multiplican rápidamente; siendo propias de ecosistemas variables.
La población es notablemente inferior a la capacidad del medio, produciéndose vacíos ecológicos, y con poca competencia interna. Corresponde a la etapa inicial de una sucesión.

Estrategia mundial para la conservación
La Estrategia mundial para la conservación de la naturaleza establece los siguientes objetivos:
a) Definir la conservación de los recursos vivos y explicar sus objetivos.
b) Determinar los requisitos prioritarios para alcanzar cada uno de los objetivos.
c) Proponer estrategias nacionales y subnacionales.
d) Recomendar una política medioambiental previsiva, una política de conservación transectorial y un amplio sistema de contabilidad nacional.
e) Proponer un método integrado para la evaluación de los recursos terrestres y acuáticos, completado por una evaluación ambiental.
f) Recomendar la revisión de las legislaciones sobre los recursos vivos.
g) Sugerir la manera de aumentar el número de personas capacitadas y adiestradas, proponer una investigación en el ámbito de la gestión, y una gestión más orientada hacia la investigación.
h) Recomendar un mayor participación pública y sugerir la manera y los medios para conservar los recursos vivos de las comunidades rurales.

Estratificación
Distribución en estratos o capas superpuestas de las distintas poblaciones que forman una comunidad.
En una biocenosis marina la estratificación viene determinada por la luminosidad, que forma dos estratos: Fótico y afótico (Vid.). En una biocenosis terrestre los estratos son: Arbóreo, arbustivo, herbáceo, muscíneo y edáfico.

Estratigrafía

Estudio de las rocas sedimentarias y sus interrelaciones. Los materiales que se desprenden mediante la erosión de viento y agua de una roca van a parar a depresiones depositándose en cuencas sedimentarias. Allí se compactan y se cementan dando origen a nuevas rocas que se superponen unas a otras. Cada una de esas capas se denomina estrato.

Estratos de biocenosis marina

En la zona llamada nerítica se encuentran los siguientes estratos: Supralitoral (por encima de la marea alta), mediolitoral (entre las líneas que determinan la marea más alta y la más baja), infralitoral (entre la línea de marea más baja y el límite determinado por debajo de algas fotófilas) y circalitoral (desde el límite de algas fotófilas hasta el de algas esciófilas).
Y en la zona pelágica se encuentan los estratos: Epipelágico (eufótico, hasta los doscientos metros de profundidad), batial (afótico, hasta los 2.000 metros de profundidad), abisal (entre los 2.000 y los 6.000 metros de profundidad) y hadal (las fosas oceánicas).

Estratos de biocenosis terrestre

Se consideran varios estratos dependiendo del tipo de vegetación que pueda darse: Arbóreo (ocupado por árboles), arbustivo (ocupados por vegetales leñosos con tallo ramificado desde la base y hasta unos 4 metros, como el boj o la adelfa), herbáceo (plantas sin lignificación y de muy poca altura, anuales o bianuales), muscíneo (plantas criptógamas muy pequeñas, formando una leve capa sobre las rocas) y edáfico (el propio suelo sin cubierta vegetal).

Estratosfera

Parte de la atmósfera que comprende desde los 10 kilómetros de altura hasta casi 50 kilómetros. Esta región constituye una gran capa de inversión térmica, registra un aumento gradual de la temperatura alcanzando un máximo de 0° C a los 50 kilómetros. Sus límites son la tropopausa y la estratopausa. La troposfera y la estratosfera comprenden en conjunto el 99,9% de la masa total de la atmósfera. La transición de la troposfera a la estratosfera (tropopausa) está marcada por un cambio brusco en las concentraciones de los constituyentes de la atmósfera, el vapor de agua disminuye y el ozono aumenta. En la estratosfera se encuentra la capa de ozono.

Estroncio

Metal alcalino-térreo que se halla de forma natural en estado de carbonato y de sulfato. Es blanco, se oxida fácilmente, descompone el agua y produce sales al contacto con los ácidos. El isótopo estroncio 90 es usado en armas nucleares, ya que dada su capacidad radioactiva es altamente peligroso.

Estructuras de sostén

Las propias de los seres vivos que viviendo en la superficie de la tierra, impiden así el aplastamiento debido a la presión atmosférica unida a la gravedad: Esqueletos de los animales y tejido leñoso vegetal.

Eurihalino

Todo animal marino capaz de vivir en un medio con amplio margen de concentración salina. Ej.: Salmón, trucha arco iris.

Euritermo

Ser vivo capaz de vivir en temperaturas muy variables. Sus temperaturas extremas están en una banda de tolerancia bastante amplia. Ej.: Organismos unicelulares poco diferenciados.

Eutrófico

Lo que corresponde al estado de nutrición perfecta y suficiente para un organismo o ser vivo.

Eutrofización

Proliferación de las algas en una masa de agua que llega a agotar el oxígeno, acabando con la vida acuática.

La materia orgánica en forma de basuras que llega a un lago, por ejemplo, es metabolizada en el fondo por los organismos descomponedores, liberándose sustancias minerales que enriquecen el agua y provocan gran producción de algas, que al morir van al fondo y siguen el mismo ciclo. Pero si las basuras son ricas en fósforo (caso del detergente) los descomponedores agotan el oxígeno disponible y no pueden continuar su actividad. Así surgen bacterias anaerobias cuyo metabolismo da lugar a sustancias malolientes y tóxicas, haciéndose imposible la vida. Surge así lo que se llama lago eutrófico, de aguas verdes y con aspecto de vertedero.

Evaporación

Proceso irreversible de transformación del agua en vapor. Es una de las causas importantes de la pérdida de masa de agua de ríos, lagos, embalses y canales a cielo abierto. La evaporación está en función de la humedad y temperatura del aire, temperatura de la masa de agua y superficie expuesta. El tipo de suelo sobre el que se asienta un cultivo matiza la capacidad de evaporación de éste.

Evapotranspiración

Cantidad de agua que pierde un suelo a consecuencia de la evaporación y de la transpiración de las plantas. Es consecuencia directa de la incidencia del clima y condiciones del suelo.

Evolución

La teoría de la evolución admite la continuidad de la vida y la derivación de las diversas formas, tanto animales como vegetales por filiación. Los distintos tipos de vegetales y animales se han ido sucediendo en el tiempo siguiendo un orden específico, que va desde el más simple hasta el más complejo.

La evolución se caracteriza por las modificaciones que sufren los seres vivos para subsistir a pesar de las variaciones del medio ambiente en el que se desarrollan (adaptación), la supervivencia exclusiva de los mejor adaptados (selección) y la aparición, tras la existencia de diversas variedades, de los individuos más capacitados para vivir en determinadas condiciones.

Pruebas paleontológicas, embriológicas y anatómicas fundamentan la teoría de la evolución.

Exosfera

Esta región de la atmósfera, que se encuentra entre los 500 y los 1.000 km. aproximadamente, marca la transición gradual de la atmósfera terrestre al gas interplanetario. Se llama región de escape, dado que las moléulas ligeras escapan a la gravedad.

Explotación

Es una relación biótica interespecífica en la que una especie procura obtener beneficios de otra sin causarle perjuicio alguno. Ej.: Cuco europeo.

Extinción

Fenómeno biológico consistente en la desaparición de una especie vegetal o animal por alteraciones ambientales. Las causas pueden ser cambios térmicos, explotación humana, alteraciones en la cadena trófica, dominio de una especie competitiva, etc. Ha de señalarse que en ocasiones es el hombre el que intencionadamente busca la extinción de especies al considerar que son perjudiciales (antiguos alimañeros, plaguicidas, etc.).

Factor limitante

Cualquier factor ambiental abiótico (corrientes del medio, humedad, presión, salinidad, temperatura) que sobrepasa la amplitud de tolerancia. Limita el crecimiento de un organismo, cultivo o población, y se entiende tanto por defecto como por exceso. En general se dice que los ecosistemas están limitados por el eslabón más débil -menos disponible- de la cadena ecológica.

Factores bióticos

Elementos vivos que constituyen un ecosistema.

Factores abióticos

Son los factores ambientales físico-químicos: humedad, luz, presión, salinidad y temperatura.

Fango

Biomasa activa procedente de recuperación en las plantas recuperadoras.

FAO

(Food and Agricultural Organisation). Organización de las Naciones Unidas para la Agricultura y la Alimentación, fundada en 1945. Sus objetivos son: Elevar el nivel de vida de la población, aumentar los rendimientos agrícolas, pesqueros y forestales, distribución de alimentos y mejora de la vida en las zonas rurales.

Fase de latencia

Etapa inicial de una curva de crecimiento en los sistemas vivos, propio de la situación de aclimatación a las nuevas condiciones de crecimiento.

Fauna

Conjunto de animales de un área determinada. Se distingue fauna marina, fauna continental, fauna insular y fauna de aguas continentales.

FEDER

Fondo Europeo de Desarrollo Regional. Su objetivo es corregir los desequilibrios regionales.

Fenotipo

Características observables de un organismo, como resultado de la interacción entre el genotipo y el ambiente.

Fermentación

Degradación de las sustancias orgánicas con obtención de energía química sin exigencia de oxígeno.

Fertilizantes

Producto que tiene como misión aumentar la fecundidad del suelo, y puede entenderse como fertilizante tanto la adición de abonos orgánicos y minerales como las operaciones de enmienda. Vid. Abonos.

Los fertilizantes naturales más utilizados son estiércol y guano, pero se investigan nuevos fertilizantes.

Se está ensayando una bacteria de la especie *Rhizobium phaseoli* que, mezclada con turba y a un costo inferior al del fertilizante permite sustituirlo para la fijación del nitrógeno. Estas bacterias forman colonias a lo largo de las raíces de la planta, fijan el nitrógeno atmosférico y producen compuestos nitrogenados que la alimentan; por su parte, la planta aporta carbohidratos para nutrir a la bacteria.

FETM

Federación Europea del Transporte y Medio ambiente.

Filogénesis

Clasificación de los organismos fundamentada en los procesos evolutivos.

Fisión nuclear

Un núcleo pesado (uranio o torio) se divide en dos fragmentos semipesados, liberándose energía. La fisión como proceso natural es muy rara; el método usual de producir fisión artificialmente es excitar los núcleos.

Un neutrón libre bombardea a alta velocidad el núcleo que en el choque se rompe en dos núcleos más ligeros, liberando neutrones que a su vez chocan con otros núcleos, multiplicándose así esta reacción y liberando energía.

Fitoplancton

Microorganismo de la superficie del mar. Es uno de los primeros elementos en la cadena trófica marina que originará petróleo. Incluye distintos tipos de algas, bacterias verdes y protozoos fotosintetizadores.

Fitosanitario

Cualquier producto destinado a procurar la sanidad vegetal.

Flora

Conjunto de especies vegetales, que no debe confundirse con la vegetación, que es la agrupación y modos de éstas. Puede darse el caso de vegetación abundante y flora escasa, como en una pradera; o vegetación escasa y flora abundante, como en las vertientes rocosas. Las áreas florales son: Holártica, mediterránea, indoafricana, neointertropical, del Pacífico, sudafricana, antártica y australiana.

Fluctuaciones

Variaciones del nivel medio observadas en el censo de una población durante un determinado período de tiempo. Es importante discriminar si las fluctuaciones se deben a factores ambientales (que reducen al mínimo las interdependencias entre las especies, tornando más complejas las redes tróficas) o a mecanismos internos del propio ecosistema.

Flujo de energía

El flujo solar recibido por la Tierra se distribuye así: 2% absorbido por las plantas, 9% reflejado por el aerosol atmosférico, 10% absorbido por el ozono, 33% reflejado por nubes. El 46% restante al llegar a la Tierra es reflejado o se transforma en calor. El 2% que reciben las plantas es la producción primaria bruta (Vid.). El 50% de éste 2% se pierde en la respiración de las plantas, por lo que la producción primaria neta es el otro 50% que supone sólo el 1% del flujo solar.

Los herbívoros toman la energía de las plantas: El 60% se excreta y el 40% es la producción bruta, distribuida así: 30% para la respiración y 10% de producción neta. El 30% de la energía de estos herbívoros se pierde en excreción quedando un 70% como producción bruta: 50% respiración (con locomoción) y 20% restante se almacena como producción neta.

Al final, considerando que es 100 la energía solar, la producción neta de un productor será del 1%; la de un herbívoro, 0,1%,; y la de un carnívoro, 0,02%.

Flúor
Gas halógeno amarillo-verdoso y sumamente reactivo.

Foresia
Es una relación biótica interespecífica por la que una especie es transportada pasivamente por otra. Ej.: Actinias adheridas a las conchas de moluscos.

Formas litorales
Son dos:
a) El acantilado (pendiente de 20 a 90°, en su base se forma la plataforma de abrasión).
b) La playa formada por derrubios, que se depositan al pie de los acantilados; éstos van meteorizándose y disminuyendo su grosor hasta formar la arena fina.
La costa puede ser de inmersión, debido al hundimiento que permite que el mar entre en la zona continental, caso de rías y fiordos; o de emersión, si se ha producido un levantamiento.

Fosfato
Sal del ácido fosfórico (H_3PO_4). Habitualmente se encuentra en los detergentes para restar dureza al agua y al acceder a las aguas provoca un crecimiento masivo de algas que, al acaparar el oxígeno, asfixian a los seres vivos. Es decir, provocan la eutrofización; y para evitarlo se están ensayando detergentes en los que el fosfato ha sido sustituido por zeolitas (aluminio-silicatos) que no son perjudiciales.

Fósforo, ciclo del
El fósforo (P) forma parte de diversos minerales. Al reaccionar y ser transformado en PO_4^{-3} (ión ortofosfato) es transportado libremente por el agua y se deposita en tierra como fosfato cálcico o llega al mar, donde pasa a las plantas y animales marinos, perdiéndose el resto en precipitación, que ocasiona una acumulación sedimentaria.
Las placas sedimentarias de fósforo de antiguas cuencas marinas pueden ser usadas para la obtención directa. El fosfato cálcico $Ca_3(PO_4)_2$ es tomado por las plantas y de éstas por los animales.
El fósforo es un factor limitante de la biosfera, por ser imprescindible para los organismos; es componente de las membranas celulares, de los ácidos nucléicos y de las moléculas energéticas activas de las células.

Fósil
Resto de origen orgánico. Se fosilizan las partes duras de los animales, pero también abundan las maderas fósiles en los estratos geológicos.
Para que se produzca la fosilización es preciso que el organismo muerto no se exponga al agua o aire, e implica la petrificación que es la sustitución de los tejidos por materia mineral.

Fotoperíodo
Duración del día y de la noche, que influye en los ritmos de vida diaria de los animales ya que éstos son diurnos, crepusculares o nocturnos. Desde el punto de vista de las estaciones, influyen en la migración, floración, muda, etc.

Fotosíntesis
Síntesis de materia orgánica realizada por las plantas por efecto de la luz. Las plantas toman agua y sales minerales por las raíces y CO_2 por las hojas. La energía solar (téngase presente que sólo captan el 0,02% de la energía solar) permite que las plantas conviertan estas sales, el agua y CO_2 en energía química en su forma de materia orgánica. La función clorofílica es, pues, el uso de la energía luminosa que mueve electrones que proceden del agua y reducen el CO_2.

La combustión de combustibles fósiles "deshace" el trabajo de la fotosíntesis. Con el presente ritmo en el consumo de combustibles, el hombre quema en un año lo que costó a la fotosíntesis 100 años producir.

Fotosíntesis y respiración son simultáneos: En ausencia de luz sólo se realiza respiración que consiste en la combustión lenta de glucosa, toma de O_2 del exterior y expulsión de CO_2, produciendo agua.

Fototropismo

Mecanismo mediante el cual las plantas buscan orientarse hacia la luz, como es el caso del girasol. El fototropismo es el que hace que la planta se alargue en su tallo buscando el sol.

Freático

Manto acuífero subterráneo. Una parte del agua de lluvia penetra el suelo -muy permeable- formado por aluviones o derrubios hasta alcanzar una capa impermeable, deslizándose sobre ella o formando bolsas. Allí sufre transformaciones, pues la capa superior del terreno retiene las partículas y microorganismos que facilitan el crecimiento de las plantas y se enriquece con las sales que toma.

La profundidad de las bolsas de agua determina su afloramiento por métodos artificiales o naturalmente a través de fuentes. El agua del manto se puede extraer para el riego, siempre que se guarde la cautela de no agotarlo ya que, en tal caso, al ceder el terreno superficial por carecer de soporte, se destruye la cavidad impidiendo la renovación del acuífero.

Fumigar

Procedimiento de desinfección por medio de humos, gases o vapores. Pueden usarse algunos compuestos que, por su abundancia en azufre y cloro, resultan tóxicos para la vida humana y otras especies animales. Es un modo de biocida extensivo.

Fungicida

Compuesto químico -contiene algunos metales como el cobre y el mercurio- que se utiliza para inhibir el crecimiento de los hongos parásitos de los cultivos o destruirlos. No son bien conocidos sus efectos sobre el ser humano.

Furano

Hidrocarburo aromático, líquido, insoluble en agua y estable. Se encuentra en el alquitrán de madera de abeto.

Fusión nuclear

Dos núcleos ligeros -por ejemplo deuterio y tritio- colisionan entre sí y se unen para formar otro más pesado (un núcleo de helio) y un neutrón, liberando simultáneamente una cierta cantidad de energía. Se necesita gran aporte de energía inicial con el consiguiente alcance de altísimas temperaturas.

Gaia, hipótesis

La hipótesis Gaia, que desarrollaron Lovelock, Lynn y Margulis, estima que la Tierra es un organismo vivo, autorregulado en sus funciones vitales dado que su temperatura está en función de los organismos que la pueblan, y su característica química permite la vida vegetal y animal. De aquí pasaron a superar la fase de mera hipótesis y formular matemáticamente la teoría Gaia.

La entropía -parámetro de medida del orden de un sistema- en un sistema cerrado aumenta hasta llegar a su punto máximo, el desorden total. Esta postura parece contradecir el proceso evolucionista a no ser que se admita que el sistema viviente es abierto y que por ende es, en cuanto distante del equilibrio, tendente a reducir el desorden aun produciendo entropía.

Los experimentos llevados a cabo por James Lovelock le hacen suponer que si la Tierra se aproxima a un estado químico de equilibrio se puede producir el final de la vida a semejanza de lo que ocurre en Marte o Venus, en los que predomina el CO_2 y hay estado de equilibrio.

Piensa Lovelock que la Tierra, además de generar la atmósfera la regula, siendo favorable y propiciadora de la vida y su desarrollo variado.

El modelo Daisy World permite poder interpretar un planeta tal que, mediante la distribución adecuada de elementos, es capaz de asumir el aumento de radiación solar propiciando un equilibrio térmico. Este modelo tan simple va complicándose asumiendo la existencia de elementos neutros que proliferan. El incremento de elementos formando cadena con los anteriores viene a confirmar la capacidad autorreguladora del planeta.

El Universo entero considerado como un todo tiene una variación total de entropía cero. De modo que si una parte se desordena otra se ordena, y el total sigue con entropía constante.

Lovelock, además, da un repaso a todos los aspectos contaminantes que tanto preocupan a los ecologistas (CO_2, C F C, lluvia ácida, etc.). Ésta es la línea de inflexión que separa al ecólogo, preocupado por el estudio del medio ambiente, de aquellos ecologistas que parten de una perspectiva antropocéntrica.

Gas de vertedero

Mezcla de metano -60%- y carbono 40%- con pequeñas cantidades de hidrógeno, nitrógeno y COV. Se genera en los vertederos de desechos por acción bacteriana. Es inflamable y maloliente, y puede ser reutilizable tras su refino como gas combustible de baja calidad.

Gas natural

Mezcla de hidrocarburos gaseosos que se encuentra en yacimientos subterráneos porosos.

Desde un punto de vista industrial diremos que el gas natural puede ser seco o húmedo. El primero no contiene hidrocarburos líquidos en suspensión; el segundo, sí.

Se le considera el combustible menos contaminante. El gas natural es un combustible limpio que apenas produce contaminación y resulta bastante seguro, si se observan unas mínimas normas de seguridad.

Gasóleo

Fracción del petróleo obtenida por destilación a 220° / 360° C.

Gasolina

Producto obtenido en la destilación fraccionada del petróleo, incoloro, es usado como combustible o disolvente. Producto muy volátil que se depura por desulfuración y que obtiene el índice de octano apropiado mediante la adición de plomo tetraetilo.

En aviación se exige un nivel de octanaje elevado, aumentando considerablemente el contenido en plomo que llega ser de 1,2 centímetros cúbicos por litro.

GEF

Fondo Global para el Medio ambiente creado en 1990 bajo la protección de las Naciones Unidas. Su objetivo es que los países desarrollados aporten soluciones para mejorar los problemas medioambientales, financiando ayudas para los países en desarrollo.

Género

Unidad de clasificación que incluye a las especies.

Genoma

Número básico de cromosomas de un organismo.

Genotipo

Caraterísticas genéticas de un organismo, definidas por su genoma o dotación cromosómica.

Geología

Ciencia que estudia la composición, disposición y formación de las materias que constituyen la Tierra.

Geotropismo

Mecanismo vinculado a la gravedad, mediante el cual en las plantas se produce: Por geotropismo positivo, un crecimiento de las raíces y, por geotropismo negativo, un alargamiento de los tallos.

Gestión ecosistémica

Cualquier manipulación del medio ambiente que permita explotar los recursos que éste ofrece para obtener un uso eficaz del mismo, estableciendo límites en el mismo que permitan su conservación y estado natural. Es lo que se llama estrategia eficiente. La gestión ecosistémica parte del supuesto que considera a los recursos como parte integrante de todo un sistema.

Gestión energética

Conjunto de técnicas y planificaciones concordantes que tienen como objetivo fundamental un uso racional de la energía. Es decir, que simultáneamente se tengan presentes tanto su eficiencia productiva como el máximo ahorro posible.

Gestión integral de plagas

Sistema de controles tanto naturales como artificiales, que tienen como objetivo la reducción del coste de las sustancias químicas y las alteraciones en el medio ambiente que éstas producen. Entre las acciones de esta gestión se pueden citar: El control biológico -introduciendo predadores naturales que debiliten la acción de las plagas, como hongos bioherbicidas o insectos parásitos-, la fumigación con pesticidas benignos y la rotación de cultivos y siembras.

Glúcido

Compuesto químico (H, C, O) presente en los seres vivos, siendo la principal fuente de energía de las células y pueden ser mono-, di- y polisacáridos.

Gota fría

Fenómeno meteorológico de brusca aparición. Se produce cuando un fuerte remolino, originado en la zona fría de una corriente en chorro, queda embolsado dentro de una masa de aire más cálido y húmedo. La masa de aire resultante se enfría rápidamente produciéndose la precipitación con violencia. Son difíciles de predecir y descargan violentamente.

Granja ecológica

Explotación agropecuaria con criterios medioambientales. Se opone tanto a la explotación intensiva como a la extensiva, que recurre por una parte a los cruces de razas con criterios industriales y por otra a la utilización abusiva de piensos compuestos. Está pues en perfecta armonía con la agricultura ecológica, con la que forma un conjunto equilibrado.

Entre las ventajas, son mencionables: Las compras de abonos y productos de tratamiento son inferiores, se reducen las pérdidas en el ganado por enfermedad, aborto, esterilidad e infecciones; y, a pleno funcionamiento, los rendimientos son al menos iguales que en los cultivos químicos.

Algunos de los riesgos empresariales de la granja ecológica son: La escasa disponibilidad financiera, monocultivo de la explotación, escasa disponibilidad de mano de obra con la preparación técnica suficiente, el tiempo requerido para la transformacion de una finca en agricultura biológica -de 2 a 10 años- con la consiguiente caída de producción, rentabilidad a largo plazo que exige créditos blandos, necesidad de zonas y aprovechamientos diversos, competir en una economía de mercado con un producto que en sí es caro, y además el consumidor aún no está mentalizado con la garantía que significa el producto ecológico.

Gregario

Individuo que naturalmente tiende a reunirse con otros de su misma especie. Esta reunión en la fauna marina se denomina banco y, en las aves, bandada.

Guano

Fertilizante natural muy rico en fósforo y compuestos de sales amoniacales, procedente de los excrementos de aves marinas que se encuentran sobre las rocas. Es de color amarillento oscuro, llegando en algunas ocasiones a formar capas de 20 metros de espesor. Se utiliza como abono fosfatado o bien para la fabricación de superfosfatos.

Guerra

Independientemente de la consideración moral que merece, es uno de los mayores agentes destructores del medio ambiente ya que los beligerantes consideran que todo recurso vale en guerra. Baste hacer una breve reflexión sobre los materiales destructivos utilizados.

Hábitat

Conjunto de biotopos distintos en los que puede vivir una determinada especie.

Halofita

Planta capaz de resistir altas concentraciones de salinidad, por lo que incluso pueden vivir en marismas. Ej.: El hinojo marino, que vive en las marismas saladas.

Halógeno

Elemento electronegativo (F, Cl, Br, I, At) que forma sales con los metales.

Hambre

Situación carencial de vitaminas, minerales y otros nutrientes que perjudica seriamente la vida impidiendo su conservación y desarrollo.

La distribución equitativa de las cosechas podría alimentar a toda la población, pero es una realidad la desigualdad en producción y consumo. Mientras que en los países ricos se ingiere hasta un 30 ó 40% de calorías innecesariamente, en los países pobres se ingiere en torno a un 10% menos del mínimo necesario.

Más de 1.000 millones de personas carecen del alimento necesario para desarrollar una actividad productiva. El 80% de ellos está condenado a graves enfermedades. A causa del hambre mueren anualmente 11 millones de niños. El problema no sólo está en la producción de alimentos, sino en permitir que la población disponga de capacidad de adquisición de los mismos. Actualmente se estima que el método más eficaz para combatir el hambre es proteger el desarrollo de los pequeños agricultores que constituyen la mayoría de la población pobre. Es lo que el Banco Mundial ha llamado Revolución Parcelaria que se estima más operativa que la llamada Revolución Verde. (Vid.)

Heliófila

Aquella planta que busca la mayor cantidad posible de insolación. Ej.: Tomillares.

Herbicida

Producto químico que se vierte en los cultivos para eliminar las malas hierbas.

Herbívoro

Animal que se alimenta de hierba. Estos animales tienen incisivos preparados para cortar la hierba y disponen de fuertes molares, estando los caninos reducidos o ausentes. Ej.: Conejo.

Heterosfera

Zona de la atmósfera a partir de unos 100 kilómetros de altura, por encima de la homosfera, y compuesta fundamentalmente de gases ligeros como helio, hidrógeno y nitrógeno en proporciones variables.

Heterótrofo

Ser vivo que obtiene su alimento de otros seres vivos, porque su sustancia orgánica le es necesaria para su nutrición. Ej.: El hombre.

Híbrido

Organismo obtenido cruzando dos individuos de especies genéticamente distintas, suelen ser estériles. Ej.: Mula. Aplicada la hibridación a las plantas se obtienen variedades de alto rendimiento y resistencia.

Hidrocarburo

Compuesto químico que contiene carbono e hidrógeno en la siguiente proporción: $C_n H_{2n+2}$. Por ejemplo, propano: C_3H_8.

Hidrofita

Planta de hábitat acuático. Dispone de epidermis muy fina y parénquimas aeríferos que le permiten flotar. Ej.: Nenúfar, algas.

Hidrógeno

Elemento gaseoso incoloro, inodoro, ligero, poco activo, se combina directamente con los elementos no metales y es el elemento más abundante del universo (3/4 en volumen del aire atmosférico). Industrialmente es gas de primera importancia.

Hidroponia

Cultivo de plantas en un medio acuático que dispone de toda clase de nutrientes.

Hidrosfera

Una de las tres partes de la biosfera. Un inventario de la hidrosfera daría la si-guiente distribución: 2,4 %, hielo; 0,6 %, agua subterránea; 0,02 %, agua en lagos, ríos, etc.; 0,001 %, agua contenida en la atmósfera. El resto, en los océanos.

Hidrotropismo

Movimiento de las raíces de la planta ante la presencia del agua.

Higrofita

Planta propia de las zonas húmedas. Dispone de epidermis fina y abundantes estomas. Ej.: Bosques ecuatoriales.

Hipoclorito

Sal del ácido hipocloroso. Es uno de los componentes de la la lejía casera.

Hipogeos

Aquellos animales que desarrollan su vida bajo la superficie de la tierra y para ello disponen de estructura y elementos que se lo permiten: Cuerpo alargado y extremidades excavadoras. Son ejemplos de animales hipogeos: El topo y la lombriz de tierra.

Holotipo

Organismo que se toma como modelo.

Homeosmótico

Se dice de aquellos animales que tienen capacidad de regular su concentración interna de sales eludiendo las variaciones de salinidad del medio. En consecuencia se extienden por áreas de diversa salinidad. Ej.: El salmón.

Homeotermia

Defensa propia de aquellos seres vivos que deben mantener su temperatura corporal constante, a través de diversos mecanismos de adaptación: Plumas de las aves o capa de grasa de las focas. Son capaces de compensar la diferencia de temperatura interna y ambiental mediante mecanismos de termólisis y termogénesis; pero no pueden sobrepasar las temperaturas críticas inferior y superior.

Homosfera

Capa atmosférica que se extiende desde la superficie de la Tierra hasta una altura media de 100 kilómetros. Está compuesta de oxígeno y nitrógeno en proporciones constantes. En ella podemos encontrar, ascendiendo: Troposfera, estratosfera (que incluye la capa de ozono) y mesosfera.

Hongos

Eucariotas que se reproducen por esporas. Son heterótrofos, se asocian con plantas y suelen ser simbiontes de plantas. No son fotosintéticos y algunos son patógenos.

Horizonte

Cada una de las distintas capas en que se divide el sustrato terrestre, desde la superficie hasta la roca madre:
1. Horizonte de lavado.
2. Acumulación de sales minerales filtradas.
3. Horizonte profundo.

Horizonte A

Capa más superficial donde se acumula el humus y el agua; también se llama horizonte de lavado, porque al filtrarse el agua arrastra materiales hacia el interior.

Horizonte B

Lugar de acumulación de las sustancias del horizonte A, sus componentes minerales están muy meteorizados y son altamente ricos en nutrientes.

Horizonte C

Capa que está en contacto con la roca madre, pues muchos fragmentos de ésta se unen a este horizonte.

Hulla

Combustible mineral sólido fósil, con gran poder calorífico. Es un tipo de carbón, el segundo más rico en carbono después de la antracita. Es llamado carbón de piedra.

Humedad

Vapor de agua cuantificable que existe en la atmósfera. Se debe distinguir entre dos tipos: Humedad absoluta, que es la cantidad total de vapor de agua medido en gramos que hay por metro cúbico en la atmósfera, y humedad relativa, que es la relación entre humedad absoluta y humedad posible, y se expresa en porcentajes.

Humedal

Bioma terrestre en el que abunda el agua salada, salobre o dulce, poco profunda y remansada. Es un ecosistema muy rico de gran diversidad. Son humedales las ciénagas, estuarios, marismas, marjales, pantanos y zonas costeras. Los humedales cubren casi el seis por ciento de la superficie terrestre.
El agua procede del mar, de estuarios, acuíferos, meandros, lagos o deshielo. Generan los dos tercios de la producción pesquera mundial. Absorben gran cantidad de dióxido de carbono y son filtrantes naturales de las aguas. En la convención de Ramsar (1971) se declararon 38 millones de hectáreas de humedal protegidas, distribuidas en 679 zonas.
Pero es una realidad que muchas de estas zonas están desapareciendo. Y las causas de esa desaparición son: Acumulación de contaminantes, caza, alteración por asentamientos, degradación de las vertientes, dispersión del agua, tala, drenaje agrícola, pesca, exigencias de acuicultura intensiva y ocupación para desarrollo urbano.
España tiene 28 humedales declarados y protegidos por su importancia para la migración de las aves y zonas propias para el ecoturismo.

Humus

Capa que se forma en el suelo por acumulación y posterior descomposición de restos de organismos y que al mezclarse con los minerales del suelo forman un compuesto altamente nutritivo para las plantas. Es resistente a la putrefacción avanzada y, por lo tanto, tiene una presencia bastante estable en el ecosistema. El humus es el resultado de una interrupción en la degradación de la materia orgánica.

ICES

Comisión Internacional para la Explotación del Mar. Su origen se remonta al año 1902 y se fundó para estudiar los stocks -masa de ejemplares de una determinada especie explotada por flotas pesqueras y formada por individuos adultos y fecundos- y resolver los conflictos que puedan surgir por competencia entre flotas distintas. El lema general de esta Comisión es no pescar por encima del límite que garantiza el futuro de las especies.

IDA

Siglas que significan Ingestión Diaria Admisible y se refiere a la cantidad de aditivos alimentarios que una persona puede absorber durante toda su vida sin que resulten perjudiciales para su salud.

IDAE

Instituto para la Diversificación y el Ahorro de la Energía. Sus líneas de actuación son: Ahorro energético, sustitución de combustibles, consumo eficiente con nuevas tecnologías, desarrollo de energías renovables y análisis del comportamiento de los consumidores.

Idiotipo

Organismo imaginario por considerar que poseería todas las características ideales de una especie.

Impacto ambiental

Conjunto de efectos -favorables o no- producidos en el medio ambiente en su conjunto o en alguno de sus componentes por la actividad humana.

Para determinar que hay impacto es necesario constatar una modificación en el medio ambiente antes y después de la acción llevada a cabo; tanto simultáneo a la acción como diferido en el tiempo.

La actividad humana provoca una destrucción en grandes extensiones de los recursos forestales en los países menos desarrollados, olvidando que los bosques son agentes del 50% de toda la fotosíntesis, producen materia vegetal, generan oxígeno y consumen dióxido de carbono.

Los espacios naturales salvajes disminuyen rápidamente en las zonas más densamente pobladas por lo que será necesario recrear espacios naturales, aunque sea a un alto coste, para recuperar una cierta calidad de vida.

Por lo que respecta a la contaminación atmosférica la actividad humana provoca la desertización, con la consecuencia final de disminución de suelo aprovechable para agricultura y ganadería.

Y el impacto sobre el agua, al considerar a los ríos como el conductor natural de residuos de los desechos industriales, traslada el problema de la contaminación del agua desde su punto de origen al mar, en el que debe añadirse la esquilmación continua de las pesquerías.

Los factores medioambientales que pueden verse afectados en mayor o menor medida por las acciones humanas son: Físico-químicos, biológicos, paisajísticos, económicos, sociales, culturales y humanos.

Un correcto inventario de las condiciones del medio que pueden verse afectadas por la actividad humana deberá conocer los siguientes apartados:

1. Áreas especiales: Acuíferos, áreas geológicas especiales, bosques, hábitats con especies endémicas, humedales y parques naturales.
2. Aspectos socioeconómicos y culturales: Población, actividades, niveles sociales, niveles económicos y recursos (arqueológicos, arquitectónicos, históricos y naturales).
3. Clima: Condiciones climáticas de la zona, localización de microclimas, temperaturas, precipitaciones, vientos, calidad del aire, humedad y niebla.
4. Edafología: Profundidad de los estratos rocosos, estructura, contenido de materia orgánica, valores de pH, drenaje, coeficientes de erosión y usos.
5. Fauna: Biotopos, área de distribución, cadenas tróficas y especies en peligro.
6. Hidrología: Area de cuenca, evaporación, coeficiente de escorrentía, balance hídrico, temperatura, suspensión de sólidos y eutrofización.
7. Litología: Drenaje e inundaciones, formaciones geológicas y recursos mineros.
8. Vegetación: Diversidad de especies, nivel de degradación, productividad, sensibilidad al fuego y especies en peligro. (Vid. E. I. A.)

Incendio

Quema de masa vegetal debida a causas naturales o artificiales.

Los pirómanos y excursionistas sólo son responsables de un 20% de los incendios. El resto parecen ser intencionados. Y las causas son:

1. Una gestión forestal inadecuada que ha provocado la ruptura entre el ciudadano y la masa forestal a la que ha dejado de considerarse como una riqueza colectiva.
2. El planteamiento inadecuado desde la legalidad con motivo del Plan General de Repoblaciones que no tuvo en cuenta a los propietarios auténticos de los bosques.
3. Una inadecuada elección en las especies para reforestar (hay lentiscares en lo que fueron encinares, o bojedas en lo que fueron hayedales). No deben utilizarse para reforestar plantas extrañas al paisaje sino las autóctonas que son más resistentes al fuego.
4. Especulación sin más, desde la urbanística a la maderera y papelera.
5. Negligencias en cuanto a sistemas de prevención y extinción.

Para prevenir los incendios hay que utilizar las técnicas silvícolas adecuadas. Y una vez quemado el bosque:

• Disposiciones legales que impidan la explotación maderera de los restos.
• Facilidades económicas y fiscales para la repoblación con especies autóctonas.
• Prohibición de la recalificación de los terrenos incendiados.

En los últimos 30 años se han quemado en España 2 millones de hectáreas de bosque.

Incineradoras

Son plantas de tratamiento y reducción de residuos sólidos urbanos por incineración. Se trata de un sistema barato que reduce la basura a cenizas y produce ingresos por la venta de energía producida en el proceso de combustión. Las incineradoras de alta temperatura (funcionan a temperaturas entre 600 y 1.600 °C) utilizan un combustible suplementario, líquido o carbón pulverizado.

A estas temperaturas las moléculas orgánicas complejas se disocian en átomos; pero a medida que el gas se va enfriando al salir por la chimenea los átomos se recombinan y forman nuevas moléculas, en ocasiones más peligrosas que las que entraron en el horno.

Así se forman nuevos compuestos llamados productos de combustión incompleta, por ejemplo las dioxinas. Las dioxinas quedan atrapadas en la depuración de gases post-combustión, lo que las convierte en un residuo más tóxico que la basura que se metió en el horno. (Vid. Dioxinas).

Igualmente los metales y otros materiales combustibles no se degradan tras el paso por la incineradora, sino que son emitidos directamente por la chimenea o quedan en las cenizas.

Los nuevos residuos (cenizas altamente contaminantes por la cantidad de metales pesados que contienen) necesitan a su vez ser trasladados a vertederos especiales, con el peligro de que intoxiquen las tierras y penetren hasta los acuíferos. Los filtros instalados en las chimeneas no eliminan la mayoría de las partículas orgánicas además de constituir un nuevo factor de contaminación, si estos no se conservan como residuo tóxico.

Hay que instalar dispositivos de control para reducir la emisión de partículas por tonelada de basura alimentada.

Los materiales que no se queman y las cenizas ocupan el 20% de su volumen original y necesitan un manejo posterior. Los metales y vidrios se han oxidado, fundido, vaporizado y recondensado en forma de fina fritada, que puede ser un subproducto aprovechable.

Una solución para mejorar la incineradora es usar tecnologías de lavado y evitar la dispersión de productos químicos pero esto provoca cenizas volantes y aguas residuales.

Los defensores de incineradoras entienden que: a) unas temperaturas muy altas de combustión y los modernos sistemas de depuración de gases retienen y destruyen la casi totalidad de dioxinas y productos similares, y b) que entran más dioxinas en la incineradora de las que salen.

Sin embargo, los movimientos ecologistas se manifiestan en contra.

Indicador ecológico

Es toda especie que, debido a su reducido margen de tolerancia, es muy sensible a los cambios que se producen en el ecosistema. Por lo tanto, todo aumento o disminución masiva en dicha especie se puede considerar como un indicador ecológico de las variaciones que se produzcan.

Industria

Conjunto de actividades dedicadas a la transformación de productos naturales.

Inerte

No reactivo.

Inmisión

Es la permanencia de compuestos en la atmósfera procedentes de emisiones. Se considera como CMI (Concentración Máxima de Inmisión) el tope máximo sanitariamente permitido.

Inquilinismo

Es una relación biótica interespecífica en la que una especie inquilina cobija en su propio cuerpo a otra sin que le cause perjuicio alguno. Ej.: Ardilla y árbol en el que vive.

Insecticida

Compuesto químico (fundamentalmente con plomo o cloro) usado para matar los insectos perjudiciales. Pueden actuar por contacto, sin necesidad de ingerir. Por filtración puede contaminar las aguas subterráneas.

Los más frecuentes son: Benzoylurea, carbamatos, carbinoles, organoclorados, DDT (actualmente prohibido), HCH, clordano, derivados de esencia de tementina, organofosforados y piretroides.

Insolación

Energía solar que llega a la atmósfera superior. Supone aproximadamente 1,4 kilovatios por metro cuadrado de área perpendicular a los rayos incidentes. En meteorología se llama insolación al número de horas en que brilla el sol durante un determinado intervalo de tiempo (día, mes, año).

Integral

Alimento elaborado a partir de harina obtenida sin haber eliminado la envoltura de grano, que contiene los mejores nutrientes: 75% de las sales minerales, 35% de lípidos, 10% de proteínas, 50% de vitamina E y 75% de vitamina B.

La harina integral, además, elimina el proceso de fabricación y la consecuente emisión de contaminantes. Por extensión se llaman integrales los alimentos que carecen de aditivos.

Intoxicación alimentaria

Enfermedad provocada por las toxinas de un microorganismo de los alimentos.

Inversión térmica

Capa de aire en la que la temperatura se incrementa con la altura. La estratosfera, por ejemplo, es una ancha capa de inversión. Estas capas se caracterizan por una fuerte estabilidad y esto favorece la permanencia de los contaminantes en la atmósfera ya que impide el movimiento convectivo del aire.

Ionosfera

Zona de la atmósfera en la que las moléculas y átomos del aire están ionizados por efecto de las radiaciones solares y por tanto es conductora.

Se extiende desde una altura de 60 hasta 600 kilómetros. Puede considerarse distribuida en capas que poseen distinta fotoionización con función reflectora de sus moléculas: Ozono, oxígeno, nitrógeno, etc. La temperatura varía de los 200 a los 1.200 °C. Actúa de relé entre la actividad solar y el planeta Tierra.

IPCC

Panel Internacional para el Control Climático. Es un organismo creado por las Naciones Unidas que reúne a unos 300 destacados expertos en ciencia del clima.

Isla térmica

Fenómeno que se produce en la atmósfera urbana debido a la concentración de contaminantes, por el que el centro de la ciudad suele tener unos grados más altos de temperatura que las afueras.

Esto puede conducir a la generación de una mesocirculación del aire -algo análogo a la brisa marina- entre el centro de la ciudad y las afueras.

ITTO

Acuerdo Internacional sobre Madera Tropical. Promocionado por Japón en 1983, tiene como objetivo la conservación y uso sostenible de los bosques. Pero a la vez promueve el comercio de madera tropical.

IUCN

Unión Internacional para la Conservación de la Naturaleza.

Karst

Zona de rocas calizas con alto deterioro erosivo, tanto superficial como subterráneo.

Krill

Zooplancton del océano antártico formado por crustáceos. Se pescan millones de toneladas al año, lo que pone en peligro la subsistencia de especies como pingüinos, peces, focas y ballenas que se alimentan de ellos. Se usa para fabricar piensos.

L

Lago

Acumulación de una masa de agua salada o dulce de forma natural en una depresión del terreno. Su profundidad es variable, llegando a alcanzar en ocasiones algunos centenares de metros, cuando se trata de lagos que ocupan fosas tectónicas. Su régimen hídrico está en función de los aportes variables de sus afluentes, de la evaporación, filtraciones y del régimen de lluvias.

Son de distintos tipos, según su origen y situación. Kársicos: en depresiones cársicas de dolinas y poljés; de regiones semiáridas: propias de zonas endorreicas; de presa: ocupando valles; tectónicos: en fosas de hundimiento; y glaciares: en zonas del valle glaciar. Su importancia ecológica estriba en la flora que acumula y la fauna que se distribuye de acuerdo con sus estratos.

Sus aguas están bien diferenciadas en estratos: La capa superficial (epilimnion) es de temperatura constante y poco densa; la capa intermedia (metalimnion) es de inferior temperatura y la capa profunda (hipolimnion) mantiene una temperatura constante y es más densa.

El problema más grave de un lago es la eutrofización: La materia orgánica, en forma de basuras que llega a un lago es metabolizada en el fondo por los organismos descomponedores, liberándose sustancias minerales que enriquecen el agua y provocan gran producción de algas, que al morir van al fondo y siguen el mismo ciclo. Pero si las basuras son ricas en fósforo (caso del detergente) los descomponedores agotan el oxígeno disponible y no pueden continuar su actividad. Así surgen bacterias anaerobias cuyo metabolismo da lugar a sustancias malolientes y tóxicas, haciéndose imposible la vida.

Se pueden diferenciar tres tipos de lagos:

a) Oligotrófico, de aguas claras y azuladas.

b) Mesotrófico, de aguas claras algo verdosas.

c) Eutrófico, de aguas verdes y con aspecto de vertedero.

Legislación española sobre medio ambiente

La Constitución Española en su artículo 45 dice: "Todos tienen derecho a disfrutar de un medio ambiente adecuado para el desarrollo de las personas, así como el deber de conservarlo.

Los poderes públicos velarán por la utilización racional de todos los recursos naturales, con el fin de proteger y mejorar la calidad de vida y defender y restaurar el medio ambiente apoyándose en la indispensable solidaridad colectiva.

Para quienes violen lo dispuesto en el apartado anterior, en los términos que la ley fije, se establecerán sanciones penales, o, en su caso, administrativas, así como la obligación de reparar el daño causado."

El Código Penal en su Título XVI tipifica los delitos relativos a la ordenación del territorio y la protección del patrimonio histórico y del medio ambiente:

1. El Capítulo III trata de los delitos contra los recursos naturales y el medio ambiente, artículos 325 a 331.
2. El Capítulo IV, de los delitos relativos a la protección de la flora y la fauna, artículos 332 a 337.
3. El Capítulo V, sobre disposiciones comunes, artículos 338 a 340.

El título XVII tipifica los delitos contra la seguridad colectiva:

1. En su Capítulo I, tipifica los delitos de riegos catastrófico:
   a) En su Sección 1ª, los delitos relativos a la energía nuclear y a las radiaciones ionizantes (artículos 341 a 345).
   b) En su Sección 2ª, los estragos (artículo 346 a 350).
2. En su Capítulo II, trata de los incendios (artículos 351 a 358).
3. En su Capítulo III, de los delitos contra la salud pública (artículos 364 a 367).

Lejía

Es el producto doméstico más usado y más contaminante. Contiene hipoclorito sódico que es cáustico y destruye las bacterias que digieren los residuos volviéndolos inocuos, destruye el equilibrio bacteriano, es capaz de dañar los pozos sépticos y, mezclado con ácido (contenido en muchos de los limpiadores), provoca un gas muy tóxico.

Leyes ecológicas

Ampliamente difundidas por todos los grupos ecologistas, se pueden reducir a:

1. Todo está relacionado con todo.
2. Todo debe ir a alguna parte.
3. La naturaleza sabe lo que se hace.
4. No existe la comida de balde: No hay ganancia que no cueste algo.
5. La naturaleza no da saltos.

Lignina

Uno de los dos constituyentes fundamentales de la madera. Al descomponerse la lignina y la celulosa anaeróbicamente se desprende dióxido de carbono y metano.

Lignito

Variedad de carbón. Al contener azufre en su composición, lo libera en la combustión y es uno de los causantes de la lluvia ácida.

Lignocelulosa

Mezcla de lignina, celulosa y hemicelulosa propia de la madera y las partes leñosas de los vegetales. Se encuentra en los desechos no tratables.

Límite de tolerancia

Máximo y mínimo de los factores ambientales abióticos entre los que puede desarrollarse la vida de los organismos.

Limnología

Estudio de ecosistemas de agua dulce.

Lípido

Componente químico de los seres vivos insoluble en agua, pero soluble en otros disolventes orgánicos.

Liquen

Planta talofita formada por la asociación simbiótica de un hongo y un alga. Es uno de los más significativos ejemplos de simbiosis y se robustece y multiplica abundantemente por división.

Lisier

El lisier o estiércol líquido consiste en la unión de excrementos sólidos y orina de animales, diluidos en el agua de lavado del establo. El producto final puede mejorarse añadiendo un material rico en carbono - como compost, paja triturada o serrín- de modo que se aumente la relación carbono/nitrógeno. También pueden añadirse rocas silíceas y fosfatos naturales triturados. El lisier se fermenta aeróbicamente antes de ser utilizado y se usa para el abono de pastos, cereales y hortalizas. Su acción fertilizante es más rápida que la de los estiércoles.

Litosfera

Capa rígida formada por la corteza terrestre y la parte rígida del manto. Es la capa que hay encima de la astenosfera. Tiene un espesor de 10 kilómetros en los dorsales oceánicos y de 150 kilómetros en las cordilleras terrestres.

Lixiviación

Filtración o escurrimiento de los componentes de las capas edáficas superiores hacia otras más profundas o a corrientes de agua.

También se da este nombre a la primera tarea en el blanqueo de la pasta para la fabricación del papel.

LRTAPC

Convención sobre contaminación del aire en áreas extraterritoriales.

Lucdeme

Programa de lucha contra la desertificación en el Mediterráneo iniciado por ICONA (actualmente Dirección General de Conservación de la Naturaleza) en colaboración con el Consejo Superior de Investigaciones Científicas. Pretende controlar la desertificación en el sureste español, analizando los recursos y medios afectados y determinando sistemas y técnicas para combatirlo (recuperación del suelo fértil, recuperación de la cubierta vegetal y corrección de las consecuencias de las torrenteras).

El programa LUCDEME surgió como recomendación especial de la conferencia de Naciones Unidas sobre desertificación celebrada en Nairobi en 1977.

Luz

Las células de la retina del ojo humano son sensibles a una radiación en un rango estrecho de longitudes de onda del espectro electromagnético, que se denomina luz.

La zona del visible en el espectro electromagnético abarca entre 0,39 y 0,76 micras. Los colores, desde el violeta hasta el rojo, corresponden a distintas longitudes de onda dentro del espectro visible.

Lluvia

Precipitación en forma de gotas de agua, con diámetro mayor de 0,5 mm y velocidad que supera los 3 m/s. La lluvia se forma a partir del vapor de agua de la atmósfera, a través de tres momentos: Saturación (enfriamiento del aire húmedo), condensación (de diámetro de una a 20 micras) y precipitación, que se produce cuando se rompe el equilibrio coloidal de la nube y algunas de estas gotas, al alcanzar el diámetro superior a 0,5 mm, no pueden ser sostenidas por las corrientes ascendentes y precipitan por gravedad. Un pluviómetro mide en milímetros la altura de la columna de agua precipitada. Los datos obtenidos por el pluviómetro indican el régimen pluviométrico de una zona, estos obedecen a múltiples razones.

Se pueden distinguir tres tipos de lluvias:

1. De convección: Originadas por un recalentamiento zonal del aire que al ascender arrastra el vapor de agua. A cierta altura se condensa por enfriamiento formando nubes, que se precipitan en forma de lluvia. Es propia de países tropicales.

2. De relieve: Cuando una masa montañosa obliga a que el aire ascienda produciéndose la condensación del vapor de agua en nubes en la parte montañosa expuesta al viento. Al superar la cumbre montañosa se precipita enfriándose y provocando la lluvia.

3. Litoral: Propia del viento marino que al chocar con la masa continental se

eleva dando lugar a una condensación del vapor de agua que se precipitará en forma de lluvia.

De acuerdo con la latitud se distinguen las siguientes zonas:

A ambos lados del ecuador, más de dos milímetros por año; zonas tropicales, más de 500; zonas subtropicales, menos de 250; zona templada, de 500 a 1.000; zona polar, menos de 250.

Lluvia ácida

Combinación de dióxido de carbono, óxidos de azufre y óxidos de nitrógeno que, al mezclarse con el vapor de agua atmosférico, dan lugar a ácidos sulfúrico y nítrico que se precipitan posteriormente por medio de la escarcha, lluvia o nieve.

Su origen puede ser natural y como tal se ha producido y produce a lo largo de la historia de la Tierra. Pero hoy preocupa por su frecuencia en aquellas áreas en las que tiene lugar la utilización de combustibles fósiles (complejos industriales y plantas térmicas). En estas áreas al dióxido de carbono se unen los óxidos de azufre y nitrógeno. La acidez natural de la lluvia (pH=5,6) se ve incrementada en un 100% a causa de la contaminación.

Las reacciones químicas del dióxido de azufre y óxidos de nitrógeno procedentes de la combustión de carbón y petróleo producen precipitaciones ácidas.

Estas reacciones se producen en la atmósfera y los iones de ácido nítrico y sulfúrico son transportados por el viento a regiones lejanas.

Su efecto es defoliante, a la par que al quemar la tierra se impide que las raíces absorban las sales ya que elimina el potasio, calcio y magnesio. Rompe el equilibrio del ecosistema puesto que produce variaciones importantes en los niveles de pH. Al caer sobre el mar destruye el plancton.

Hoy se calcula que un 20% de los bosques europeos están afectados por la lluvia ácida. La Comunidad Europea ha acordado, para prevenir sus devastadores efectos, una reducción en las emisiones de óxidos de azufre y óxidos de nitrógeno.

Un problema añadido es que no entiende de fronteras, la contaminación se puede desplazar hasta miles de kilómetros y descargar en una región que no emita sustancias nocivas. España no sufre contaminación difusa suficiente para hablar de lluvia ácida aunque es preocupante en puntos concretos. En Europa el 22,6% de los árboles están dañados con una defoliación superior al 25%; y en España, el 13,03%.

Lluvia eficaz

Se dice de aquella en que la cantidad precipitada supera a la perdida por evaporación.

Macrobiota

Se llama así al conjunto de organismos que viven sobre el estrato superficial y son fácilmente separables (raíces, insectos y lombrices).

Macrosucesión ecológica

La sucesión ecológica que tiene lugar en un área determinada y amplia.

Madera

Sustancia dura y fibrosa que se encuentra bajo la corteza de los árboles; y por extensión, los elementos lignificados de la planta. Está constituida por celulosa y lignina. La mayor o menor proporción de ambas hace que la madera sea más o menos dura.

Se obtiene mediante la tala de árboles y se usa en construcción y en artesanía. También es importante el uso para papel a partir de la pasta de madera obtenida por el desfibrado de los troncos.

Manglar

Formación vegetal de especies halofitas propia de regiones litorales de la zona tropical. Es uno de los hábitats fundamentales para la reproducción de los peces, a la par que reduce los efectos de la erosión. Su progresiva disminución por tala para la obtención de la leña y la pulpa, en beneficio de criaderos de peces y mariscos o para edificación y cultivo, provoca una destrucción de la zona costera y reducción de la pesquería.

Manipulación genética

Formación de una combinación nueva de material heredable obtenida por inserción de moléculas de ácido nucleico en el interior de cualquier sistema vector.

Manto freático

Vid. Freático, Agua subterránea.

Manto terrestre

Capa de la tierra entre el núcleo y la corteza; su límite superior es la discontinuidad de Mohorovicic y el inferior la discontinuidad de Gutemberg.

Mar

Es un complejo ecosistema de factores bióticos -flora, fauna, bacterias- y abióticos -luz, temperatura, composición química-.

Su equilibrio es frágil y complejo y está sometido a agresiones continuas:

a) Vertido de efluentes urbanos de aguas residuales.

b) Vertido de efluentes térmicos de aguas sobrecalentadas procedentes de centrales eléctricas, térmicas o nucleares.

c) Construcciones costeras -puertos, regeneración de playas-.

d) Contaminación atmosférica.

e) Transporte marítimo.

f) Limpieza de contenedores de crudo, efluentes industriales y aportaciones de escorrentías.

El empobrecimiento de la flora provoca una disminución en la diversidad y cantidad de la biomasa.

Sirvan como ejemplo estos datos relativos a la contaminación marina. Mar Báltico: Recibe 34 Tm de mercurio al año; Mar del Norte: Recibe 4,9 millones de metros cúbicos en desechos industriales por día.

La cantidad de mercurio que hay en la superficie terrestre y filtrado en aguas bastaría para hacer desaparecer seis veces todo rastro de vida en el mar. En cuanto al transporte marino de petróleo, en 1960 se vertieron 450 millones de toneladas; y en 1977, 1.700 millones de toneladas.

La Conferencia Tiblisi (1977) sobre educación ambiental indicaba: "La vida marina puede ser perjudicada por:

1. Destrucción de su hábitat

2. Envenenamiento agudo debido a desechos tóxicos.

3. Alteración negativa de la calidad del agua .

4. Efectos mortíferos de los contaminantes.

5. Contaminación bacteriológica y viral.

6. Bioacumulación de metales tóxicos y sustancias orgánicas.

7. Tinte y/o decoloración de la carne ".

El Derecho del mar adoptado en 1982 establece las siguientes zonas marítimas:

1. Agua territorial: 12 millas náuticas.

2. Zona contigua: 24 millas.

3. Zona económica exclusiva: 200 millas.

A partir de esta zona son aguas internacionales. La Comisión Oceanográfica Internacional (COI), PNUMA y la Organización Marítima Internacional son los organismos encargados de velar por la regulación en el uso, protección y disfrute de mares y océanos.

Marea

Ascenso y descenso periódico de las aguas del mar debidos a la fuerza de atracción gravitatoria ejercida por la luna y el sol. A efectos ecológicos los seres vivos afectados por la pleamar y la bajamar disponen de mecanismos de adaptación para sobrevivir.

Marea negra

Capa de petróleo o combustible, de grosor variable, que flota sobre la superficie del mar como consecuencia de un vertido al mismo. Es absolutamente perjudicial para la flora y la fauna. La investigación está tratando de diseñar ciertas bacterias capaces de eliminarla. Vid. Accidente petrolífero.

Materia

Se entiende como *materia inerte* los productos de gran estabilidad como vidrio, papel, tejidos, metales, gomas, cuero, cerámica, etc. Por el contrario, se da el nombre de *materia orgánica* a los restos de alimentos y desechos de animales, que sirven para compostar.

La materia orgánica puede entenderse en dos sentidos:

1. Materia orgánica disuelta: Es la formada por los cuerpos de los organismos vegetales, que podridos forman detritos orgánicos. En general abundan más los detritos procedentes de las plantas que los procedentes de los animales.

2. Materia orgánica particulada: Es la formada por los cuerpos de los organismos animales, que podridos forman detritos orgánicos.

Materia prima

Sustancia natural que se extrae de la tierra, del agua o del aire. Interviene en los procesos de fabricación, y una vez transformada da lugar a los diferentes materiales que utilizamos habitualmente. Son materias primas: Cobre, sal, caolín, petróleo, azufre, madera, gas, hierro, carbón, etc.

Medicamento

O fármaco. Sustancia que actúa en el organismo por medio de sus cualidades físico-químicas para combatir transtornos. Los hay minerales (bromuro), vegetales (quinina), animales (extractos) y biológicos (como sueros y vacunas).

Su producción, que antaño era a través de plantas medicinales, se debe hoy en día a una elaboradísima industria químico-farmacéutica, que genera residuos. Un grave problema que se plantea es la eliminación de los residuos farmacéuticos, que requiere tratamientos especiales.

Medio

Fluido en el que se encuentran los organismos aéreo y acuático, y que mantienen entre sí una cierta relación.

- Medio acuático: Los mares, ríos, lagos, lagunas, masas de agua en general y que llega a ocupar casi las tres cuartas partes de la superficie terrestre.
- Medio aéreo: Fluido formado por la parte de la atmósfera en contacto con la superficie terrestre. Su composición es la siguiente: Un 76% de la masa es nitrógeno y un 23% es oxígeno; el 1% restante lo forman argón, vapor de agua, dióxido de carbono, neón, helio, kriptón y ozono.

Medio ambiente

Conjunto de los organismos vivos, de las propiedades biológicas, físicas y químicas que los rodean y de las interrelaciones.

Mediterráneo

Dadas las características especiales del mar Mediterráneo, por ser un mar semicerrado, veremos con detalle sus problemas fundamentales: residuos, turismo y pesca.

1.- Residuos. El 30% de las fuentes terrestres de contaminación de las costas procede de la industria a través de los ríos, el 20% a través de la atmósfera y el 50% de los residuos municipales.

Los contaminantes que más amenazan se encuadran en las aguas residuales y los residuos agrícolas, tales como fosfatos y nitratos, que facilitan el crecimiento excesivo de algas que al descomponerse agotan el oxígeno disuelto en el agua, provocando asfixia en la fauna marina.

Además, se encuentran otros contaminantes en el mar: Plaguicidas, fertilizantes, compuestos orgánicos sintéticos, sedimentos, basuras, plásticos, metales, partículas radioactivas, petróleo e hidrocarburos policíclicos aromáticos. Todos estos productos son difíciles de degradar, se acumulan en los fondos marinos y son distribuidos por las corrientes. Como las cadenas tróficas son cortas se acumulan rápidamente en los tejidos de peces y aves marinas.

2.- Turismo. En los últimos años y gracias a la protección que el sector turístico ha recibido, se han incrementado indiscriminadamente las construcciones de todo tipo en las costas: Puertos deportivos, paseos marítimos, espigones, rompeolas y playas artificiales son ejemplos de la incesante intervención humana en la zona litoral, contribuyendo a alterar de forma irreparable el perfil natural de amplias zonas costeras. Juegan también un importante papel en la regresión de muchas de las comunidades naturales que habitan los fondos marinos cercanos a la costa.

Los puertos deportivos son el caso más flagrante: Provocan enterramiento de algas y fanerógamas marinas y la eliminación de especies animales que habitan aguas marinas circundantes, alteran los mecanismos hidrodinámicos al actuar como barreras marinas que impiden la circulación natural de las corrientes. Se produce acumulación de arenas en una y otra parte del puerto y los bancos arenosos son arrastrados a diversas zonas por las corrientes modificadas con la consecuencia de la destrucción de vida animal y vegetal de los fondos someros.

Por lo que respecta a la regeneración de playas, la arena utilizada procede de los fondos marinos cercanos y es extraí-

da con buques succionadores. Al levantar arena y sedimentos aumenta la turbidez del agua, reduciendo la penetración de luz, y limitando la distribución de especies vegetales que dependen de la fotosíntesis para su supervivencia.
3.- Pesca. Las áreas tradicionales de pesca, que hace más de 30 años ya habían mostrado síntomas de agotamiento, se han visto fuertemente afectadas por la sobreexplotación, empezando a ser improductivas. Las flotas pesqueras no renuncian a su volumen de capturas anuales y van a faenar a aguas cada vez más alejadas con barcos factoría y congeladores, utilizando redes más finas.
La ley de costas del 88 (Ley 22/88, de 28 de julio) constata que España es uno de los países donde la conservación del medio está más gravemente amenazada: "la presente ley tiene por objeto la determinación, protección, utilización y política del dominio público marítimo-terrestre, especialmente la ribera del mar."
La ribera del mar incluye la zona marítimo-terrestre, marismas, albuferas, marjales, playas, dunas, etc.
España tiene 6.000 kilómetros de costa. El 10% no cumple los requisitos exigidos por la Comunidad Europea para el baño, ya que se vierten a ella 175 millones de kilos de embalajes y equipos de pesca.

MEDPOL

Dentro de las actividades del PAM, destaca el pograma referente a la contaminación de las aguas mediterráneas, que recibe el nombre de MEDPOL. Sus objetivos son: Labor sistemática de seguimiento de diversos parámetros indicativos de contaminación en el agua del mar, sedimentos y organismos vivos, investigación aplicada a conocer procesos contaminantes que afectan al medio marino, etc.
El mar Mediterráneo recibe al año: 360 Tm de fósforo, 1.000 Tm de nitrógeno, 130 Tm de mercurio, 4.800 Tm de plomo, 2.800 Tm de cromo, 2.500 Tm de zinc, y 90 Tm de cloro orgánico.

MEDSPA

Programa de acción comunitaria sobre el medio ambiente y el mediterráneo.

Mercurio

Metal que se encuentra en las pilas junto con el cadmio y es muy contaminante. La UE prohibe las pilas alcalinas con un contenido en mercurio superior al 0,025% en peso.

Mesosfera

La capa más alta de la atmósfera que comprende desde la estratosfera hasta 80 kilómetros por encima. Tiene una densidad de 1/1000 respecto a la densidad al nivel del mar y la temperatura cae hasta llegar a -75 °C a los 80 km de altura.

Mesotrófico

Modelo de nutrición que exige compuestos orgánicos de carbono y nitrógeno.

Metabolismo

Captación y almacenamiento de la energía que permite la formación de sustancia constituyente. Las reacciones químicas producidas por los seres vivos son: Anabolismo (asimilación) y catabolismo (desasimilación). El anabolismo es un metabolismo de síntesis mientras que el catabolismo es la desasimilación de los sustratos energéticos.
Uno y otro implican la existencia de un metabolismo intermediario que es el conjunto de todos los procesos químicos que se dan entre la adquisición y el producto final. El metabolismo más importante es la fotosíntesis.

Metabolismo externo

Es la utilización de energía efectuada por el hombre mediante los instrumentos (maquinaria, herramientas, transporte) que multiplican su actividad puramente biológica sobre el entorno.

Metabolismo interno
Autorregulador de nuestra energía. Se divide en dos partes: Anabolismo, conjunto de reacciones que producen la asimilación; Catabolismo, conjunto de reacciones que provocan la desasimilación.

Metal
Elemento con brillo característico, buen conductor del calor y de la electricidad y capaz de oxidarse.

Metal pesado
Elemento metal de peso atómico elevado, tóxico para el sistema biológico.
Se consideran pesados a los metales de peso superior al sodio (22,99). Los metales ligeros tienen densidad menor de 0,5 (alcalinos, alcalino-térreos y térreos). Los metales pesados son nobles (iridio, mercurio, oro, osmio, paladio, plata, platino, rodio, rutenio) y ordinarios (antimonio, bismuto, cadmio, cobre, cromo, escandio, estaño, galio, germanio, hierro, indio, manganeso, molibdeno, niobio, níquel, plomo, tantalo, teluro, titanio, tungsteno, urano, vanadio, zinc). Los jabones de metales pesados no son solubles en agua, por eso se usan en grasa para lubricantes, secadores de pintura y fungicidas.

Metamorfismo
Transformación físico-químico que sufre la roca en el interior de la corteza terrestre a causa de la temperatura y la presión.

Meteorización
Destrucción de una roca in situ. Puede ser :
a) Mecánica, debido a procesos físicos (como cambios de temperatura)
b) Química, producida por el agua de lluvia que lleva gases como O_2 y CO_2, que reaccionarán con la roca originando disolución, oxidación e hidratación.
c) Biológica: producida por los seres vivos, bien por su acción física o química.

Microbiología
Estudio de microorganismos que comprende trabajos de: Taxonomía, morfología, fisiología, bioquímica y genética.

Microbiota
Conjunto de organismos microscópicos propios de un biotopo.

Microclima
Clima propio de un hábitat concreto que dispone de características especiales de luminosidad, humedad y temperatura dentro de un sistema climático más amplio.

Microsucesión ecológica
La sucesión ecológica que tiene lugar en un área determinada y muy reducida.

Migraciones
Movimientos de ida y retorno que realizan algunas especies con motivo de los cambios que se producen en el hábitat en que residen. Sus causas pueden ser la búsqueda de alimento, cambio de temperatura y reproducción. Son animales migratorios las ballenas, zorros árticos, sardinas, bacalaos, delfines, atunes, barracudas, anguilas, mariposas, murciélagos y gran cantidad de aves. La gran amenaza para los movimientos migratorios está representada por las acciones humanas, capaces de destruir hábitats por medio de la agricultura, vertidos de petróleo, caza indiscriminada, etc. Las principales rutas migratorias europeas son: Desde Groenlandia e Islandia atravesando las Islas Británicas hacia el Mediterráneo; desde el Norte de Escandinavia, Rusia y Siberia a través del mar de Wadden hacia el sur;

y desde los Estados Bálticos y Finlandia a través del mar Negro y el Bósforo hacia Egipto y Mar Rojo.

Mineral

Compuesto de elementos químicos que constituye un cuerpo más complejo. Es una sustancia natural que goza de las siguientes características: 1.- Forma parte de la corteza terrestre. 2.- Cristaliza siempre bajo la misma forma. 3.- Posee una composición química determinada.

Los minerales se clasifican en los siguientes grupos: Elementos (oro, azufre); sulfuros (blenda, cinabrio); sales haloideas (sal gema, fluorita); óxidos (corindón, casiterita); oxisales (yeso, baritina); fosfatos, arseniatos y vanadiatos (apatito, turquesa); silicatos (talco, caolín) y minerales radiactivos (uranita, torianita).

Minería

Conjunto de actividades para la explotación de las minas.
A cielo abierto implica una erosión del terreno. Vid. Carbón.

Modelo ecológico

Es la formulación virtual que trata de representar las interacciones propias de una realidad ecológica. Un modelo ecológico debe tener en consideración los siguientes componentes: Propiedades del sistema, fuentes energéticas que actúan sobre él, vías de interacción de la energía y materiales, y actividades de retroalimentación.

Moho

Hongo microscópico carente de clorofila que se alimenta de materia orgánica elaborada.

Monocultivo

Cultivo predominante o exclusivo de un producto en una determinada región.

Monóxido de carbono

CO. Gas incoloro e inodoro formado por la oxidación incompleta del combustible, arde con llama azul y es venenoso por inhalación, ya que impide el transporte de oxígeno a través de la sangre.

Monumento natural

Espacio o punto de la naturaleza con formación singular y rara.

Mortalidad real/ecológica

Número de muertes por unidad de tiempo teniendo en cuenta los factores ambientales del ecosistema.

Mortalidad teórica/mínima

Es el número de individuos que mueren por simple envejecimiento en una unidad de tiempo, sin tener en cuenta los factores ambientales del ecosistema. Siendo m (número de muertos por individuos y por unidad de tiempo) y N (número de individuos de la población), la mortalidad mínima$= m \times N$

Mutación

Cambio en la estructura del ADN, en el número de genes o en los cromosomas. Surge por azar o por mutágenos químicos o radiaciones ionizantes.

Mutualismo

Relación biótica interespecífica en la que los individuos de una especie se benefician de los de otra, y los de ésta se benefician de la anterior. Suelen llamarse individuos consortes. Ej.: Actinia y cangrejo ermitaño.

Nastia

Cambio pasajero que se produce en algunos órganos vegetales, como respuesta a estimulaciones externas (temperatura, roce, luz, humedad, etc.). Ej.: La mimosa púdica o sensitiva.

Natalidad absoluta/teórica

Número de nacimientos en cada unidad de tiempo considerando unas condiciones ideales y sin factores limitantes. Sean N (número de individuos de la población) y n (número de nacimientos por individuo en unidad de tiempo), la natalidad teórica es $= n \times N$

Natalidad real/ecológica

Número de nacimientos por unidad de tiempo teniendo en cuenta los factores ambientales del ecosistema.

Neblumo

El vapor de agua se condensa formando una capa de niebla en la que rondan partículas sólidas y líquidas contaminantes. Vid. Smog.

Necton

Conjunto de animales nadadores. Se desplazan fácilmente de un punto a otro.

Neuston

Comunidad asociada a la película superficial del agua. Aprovechan los organismos la tensión superficial de la misma para poder desplazarse, participando a la vez de medio aéreo o acuático. O bien se mantienen bajo la línea de agua adheridos a la misma. Ej.:Gerris (zapateros) y larvas de mosquitos.

Neutralización

Reacción de un ácido y una base.

Nicho ecológico

Función que realiza una especie en un ecosistema. Si dos especies pertenecen al mismo nicho ecológico la competencia entre ellas dará lugar a la permanencia de una de ellas y el desplazamiento de otra.

Desde el punto de vista ecológico el nicho debe tener en cuenta los siguientes aspectos: funcionales (nivel trófico y posición en una red alimenticia), espaciales (distribución, hábitat y localización física en el ecosistema) y de comportamiento (la forma de vida: parasitismo, predación, competición, etc.)

Níquel

Metal blanco, brillante y maleable que se usa abundantemente para envasar alimentos pues es resistente a la corrosión por ácidos orgánicos.

Nitrato

Sales formadas a partir del ácido nítrico. Forman parte de los fertilizantes artificiales. Las plantas no absorben todos los nitratos que por su solubilidad, penetran en el suelo, y llegan a las aguas subterráneas. Se estima que para que esa agua pueda ser consumida, han de transcurrir al menos 20 años.

Las plantas necesitan del nitrato para obtener de él nitrógeno. A esta operación se la denomina reducción asimiladora del nitrato: El nitrato se transforma en amoníaco y así puede formar parte de los compuestos de carbono formando aminoácidos y demás componentes de la célula.

Nitrificación

Proceso mediante el cual el amoníaco que llega al suelo pasa a transformarse en ión nitrato debido a la acción quimiosintética de ciertas bacterias. Este proceso tiene lugar en dos fases:
1. Nitrosación: Las bacterias nitrosomas transforman el amoníaco en ión nitrito.
2. Nitratación: Las bacterias nitrobacter transforman el ión nitrito en ión nitrato.

Nitrito

Sal o éster obtenido al combinar ácido nitroso con una base.

Nitrógeno, Ciclo del

El nitrógeno en la atmósfera supone el 76%. El nitrógeno amosférico (N_2) al combinarse con el hidrógeno forma NH_3, amoníaco. Bacterias del tipo *azotobacter clostridium* y *rhizobium* son capaces de fijarlo a las raíces de algunas leguminosas o al suelo.

El proceso de amonificación es el resultado de la acción que los descomponedores efectúan sobre cadáveres y productos de desecho metabólico, con lo que enriquecen el suelo con amoníaco. La acción quimiosintética de las bacterias hace que el amoníaco pase a ión nitrato. Este proceso se denomina nitrificación y tiene lugar en dos etapas: Nitrosación –transformación del amoníaco en dióxido de nitrógeno que es el ión nitrito–, y nitratación –paso del ión nitrito NO_2 en ión nitrato NO_3–.

Si el NO_3 se transformara en NO_2 y éste volviera a la atmósfera se produciría la desnitrificación.

El nitrógeno es fundamental en las proteínas, pues forma parte de los aminoácidos.

Las bacterias lo captan de la atmósfera y lo fijan al suelo en forma de amoníaco, nitratos y nitritos. Las plantas asimilan el nitrógeno en su forma amoníaco o nitrato produciendo aminoácidos, y las bacterias desnitrificantes transforman el nitrato a través del nitrito en nitrógeno gas.

Se pueden reducir las emisiones de los compuestos NO_x en la combustión evitando puntos de alta temperatura o convirtiendo el NO_x en N_2 usando amoníaco o gas natural mediante catalizadores que operen a menor temperatura.

Normativa fiscal

La normativa fiscal en materia ambiental debe contemplar estas líneas de trabajo:
1. Regulación directa, fijando límites legales.
2. Tasa por prestación de servicios.
3. Cánones o impuestos ambientales.
4. Subvenciones.
5. Estímulos fiscales.
6. Bonos de contaminación.
7. Sistema de caución-reembolso.
8. Títulos de contaminación.

Nube química

Formada por toneladas de gases tóxicos, como son los gases CO, SO_2 y NO_x, producidos por la industria y el automóvil.

Nutriente

Aquella sustancia alimenticia que proporciona energía o materiales para el crecimiento: Oligoelementos, carbono, vitaminas, etc.

Los nutrientes son:

– Hidratos de carbono: Que aportan energía.
– Grasas: Aportan energía.
– Proteínas: Aportan energía, facilitan el crecimiento y reparación de los tejidos y colaboran en el control de las funciones vitales.
– Minerales: Ayudan al crecimiento y reparación de los tejidos y al control de las funciones vitales.
– Vitaminas: Ayudan al control de las funciones vitales.
– Agua.

OCDE

Organización para la Cooperación y el Desarrollo Económico.

Oligotrófico

Medio acuático dulce con baja concentración en nutrientes.

Omnívoro

Animal que se alimenta de vegetales o de otros animales.

OMS

Organización Mundial de la Salud.

ONG

Organización No Gubernamental. Las principales ONG's ecologistas de España son:
- Greenpeace .
- ADENA/WWF: Fondo Mundial para la Naturaleza.
- CODA: Coordinadora de Organizaciones de Defensa Ambiental.
- FAT: Federación de Amigos de la Tierra.
- FPNE: Fondo del Patrimonio Natural Europeo .
- SEO: Sociedad Española de Ornitología.
- GOB: Grupo Ornitológico Balear.

OPEP

Organización de Países Exportadores de Petróleo. Creada en 1960 para defender los precios del crudo ante las presiones de los grandes consumidores

Orden

Agrupamiento de familias de animales y plantas. Los órdenes se agrupan en clases.

Organismo

Unidad viva completa e intacta.

Organotrofo

Organismo que crece sobre una materia orgánica. Ej.: Musgo.

Oxidación

Pérdida de electrones por parte de una especie química.

Óxido

Combinación del oxígeno con otro elemento químico. Combinado con nitrógeno o azufre se forman compuestos peligrosos causantes de lluvia ácida. (Vid.)

Oxígeno

Elemento fundamental para la vida de los seres vivos presente en la atmósfera, el agua, etc.

Ozono

Molécula formada por tres átomos de oxígeno, O_3. El ozono troposférico es considerado como contaminante y el estratosférico protege a la superficie terrestre de los rayos ultravioleta. El ozono en la estratosfera supone un 0,0001%.

Formación de la molécula de ozono: Un fotón (de energía hv) disocia la molécula de oxígeno: $O_2 + hv \rightarrow 2xO$, y en presencia de otra molécula M se forma la molécula triatómica. $O_2 + O + M \rightarrow O_3 + M$.

Paisaje

Conjunto de ámbitos que van ampliándose progresivamente y que inciden hasta tal punto en la persona que condicionan su modo de comportamiento.

La más elemental descripción de una persona carece de significación si no se incardina en un paisaje.

Subjetivamente expresa la relación amable y cordial con el entorno como manifestación máxima de la cultura y la civilización y es la medida de la creatividad en su empatía con la naturaleza.

Objetivamente es la circunstancia que nos rodea, nos envuelve, nos gesta y nos matiza; es el ámbito en el que se desarrolla la vida del hombre.

Puede considerarse desde un punto de vista material (conjunto de objetos), social (uso que se hace de él), filosófico (interpretación que se elabora), económico (aprovechamiento) y estético (generador de la sensiblidad). La integral de todas estas perspectivas es el paisaje.

Paisaje desarrollado

Llamado también paisaje fabricado. Es el formado por las ciudades, las zonas industriales y el conjunto de vías de transporte. Su característica fundamental estriba en que se fundamenta en el consumo de combustible.

Paisaje domesticado

Es el formado por el conjunto de tierras agrícolas, bosques, lagunas y masas de agua artificiales. El eje fundamental de este paisaje es la energía solar, pero hay que señalar que suele estar controlado por el hombre.

Paisaje natural

Es el conjunto de áreas naturales en las que no interviene la acción humana. Pero frecuentemente soportan las consecuencias de los paisajes domesticado y desarrollado. La característica de este paisaje es su autosustentación, básicamente por la acción de la energía solar y los flujos de agua, viento y otras fuerzas naturales.

Paisaje protegido

Área concreta natural que por sus especiales características es merecedora de una especial protección.

PAM

Plan de Acción del Mediterráneo (elaborado en 1975) en el ámbito del Programa de las Naciones Unidas para el Medio Ambiente (PNUMA).

Es un organismo dependiente de la ONU que tiene como finalidad la protección de los países ribereños.

Sus informes señalan que las causas del deterioro mediterráneo son el aumento demográfico, la progresiva desertización, la actividad comercial generadora de residuos, el turismo y el hecho de que, pese a ser el 1% de la superficie terrestre, transporta el 20% de los petroleros.

Los próximos 20 años exigen un presupuesto de protección mediterránea cercano a 100.000 millones de dólares. A ello se añade que algunos países ribereños no son miembros de la Unión Europea y disponen de normativa más laxa.

Pandemia

Brote epidémico de gran intensidad y que afecta a todos los individuos de un área determinada.

Papel ecológico

Aquel en cuya fabricación se han tomado medidas para evitar la contaminación del agua y la atmósfera.

Son muchos los pasos en los que se puede evitar la contaminación. En el blanqueo se utiliza cloro, pero modernamente se emplean más el ozono y los peróxidos. Los desechos de las digestiones de las pastas químicas se pueden recuperar o depurar. A las salidas de los humos se instalan filtros. Por otra parte, un papel reciclado puede no ser ecológico (aunque este caso es extraño) y un papel ecológico puede ser reciclado o no. En tanto no se establezca como obligatoria la ecoetiqueta se seguirá confundiendo el ecológico con el reciclado.

El papel reciclado no es aquél cuya celulosa está blanqueada sin cloro gas, sino el que se produce con tecnología TCF (totally chlorine free: blanqueo libre de cloro). Pero las papeleras que no usan cloro usan hiposulfito sódico, agua oxigenada, ácidos sulfúrico y clorhídrico, colorantes, etc., que son igualmente contaminantes.

Papel reciclado

Aquel en cuya fabricación se ha empleado como materia prima solamente papel usado, diarios, revistas, papel impreso, etc. Es decir, el papel reciclado es el que se produce empleando fibras recuperadas.

Producir 100 hojas de papel en formato Din A4 supone: 560 gr. de papel viejo, 1.800 Watios/hora y 8 litros de agua. Y para hacerlo con pasta química: 1,6 dm^3 de madera, 4.700 Watios/hora y 50 litros de agua.

Una tonelada de papel reciclado ahorra tres toneladas de madera, 400.000 litros de agua y 2.750 kilovatios de energía.

Parafina

Mezcla de hidrocarburos sólidos, blanca, insípida, inodora, traslúcida y viscosa al tacto. Se usa para impregnación y aislamiento.

Parasitismo

Relación biótica interespecífica que tiene lugar cuando un individuo parásito vive a expensas de otro llamado hospedador al que perjudica a largo plazo.

Parásito

Organismo que vive sobre otro (ectoparásito) o dentro de él (endoparásito) para obtener alimentación; ambos son de especie distinta.

Depredador especializado que se alimenta y que no causa la muerte del hospedador a corto plazo. Puede distinguirse también entre parásito obligado y facultativo según que la vida parasitaria sea permanente o temporal. Ej.: El muérdago, parásito del álamo.

Parque

Área natural poco transformada por la explotación y que por su belleza paisajística, significación de su ecosistema o singularidad posee valores conservables. En consecuencia se limita el aprovechamiento de sus recursos naturales.

Son de dos tipos:

a) Parque nacional: Montaña de Cova-
donga, Ordesa y Monte Perdido,
Cañadas del Teide, Caldera de Tabu-
riente, Tablas de Daimiel, Timan-
faya, Doñana, Garajonay, Aigüestor-
tes y lago de San Mauricio, y Ca-
brera. Son de interés general para
España por su carácter representati-
vo, se rigen por ley propia y su
declaración, administración y gestión corresponde a la Adminstración
central.

b) Parque natural: en España son 94, y
su gestión corresponde a las Comunidades Autónomas en que se
encuentran.

Patrimonio de la humanidad

Se denomina así el área que goza de
unas características especiales: Modelo de proceso evolutivo, hábitat natural
de especies amenazadas, excepcional
belleza, reserva de animales, etc. En
general, estas áreas protegidas tienen
como objetivo salvaguardar la biodiversidad. Su valor científico es elevado por
lo que debe garantizarse su protección.

Pelágico

Perteneciente a la parte del mar que
dista mucho de tierra.

PEN

Plan Energético Nacional. Fue creado
en 1991 y su horizonte se ha fijado en el
año 2000. Diseña las líneas básicas de
actuación en materia de política energética, y de él dependen las actuaciones
del IDAE. Sus objetivos son: Ahorro de
energía, programa de sustitución de
combustibles, programa de cogeneración (producir simultáneamente calor y
electricidad) y programa de desarrollo
de energías renovables.

Se prevé que en España aumente el
consumo de energía (por ahora sólo es
el 65% de la media del entorno).

Percolación

Se denomina así a la filtración del agua
hasta las capas más profundas del
terreno. El mayor o menor grado de per-
colación está directamente relacionado
con la permeabilidad del suelo.

Pesca

Las modalidades de pesca son:

1. Redes volantas: El barco larga una
red de 2,5 km de longitud que queda
a la deriva formando barrera. En la
red quedan también atrapadas otras
especies como tortugas y delfines.

2. Arrastre: Dos buques arrastran en
pareja una red. Este sistema permite
regular la altura de la pesca. Se usa
para capturar especies de fondo
como merluza, salmonete y bacaladi-
lla. Arte poco selectivo ya que puede
capturar más de 50 especies diferentes, muchas de ellas sin interés
comercial.

3. Líneas: El pesquero arrastra líneas
con miles de anzuelos.

4. Tradicional: La embarcación desplie-
ga una red describiendo un círculo
alrededor del cardumen. Un cable
cierra la red por debajo y se iza.

5. Palangre: Semejante a la línea. Un
largo cabo sostenido por corchos y del
cual penden cordeles con anzuelos.

6. Redes de deriva: Hasta 95 km. de
longitud que dejadas a la deriva cap-
turan peces pelágicos.

Pescar excesivamente hoy puede signi-
ficar no pescar mañana, hipotecando el
futuro de los caladeros. Si a ello se une
la falta de control en puertos y lonjas, el
problema está servido.

¿Cuáles son los modelos que deben
fomentarse o prohibirse? La solución al
problema de la pesca podría venir por la
línea de crédito, dando más subvenciones a las artes de pesca tradicionales y
a la vez diseñando métodos no perjudi-
cales con el fondo marino. Las protec-
ciones de los caladeros han de ser tra-
tadas desde la perspectiva de la restauración del equilibrio de los mares y no
desde perspectivas economicistas y de
consumo.

Las concesiones de licencia de pesca no pueden hacerse desde criterios políticos duros, sino desde criterios a la vez políticos, económicos y de protección del equilibrio.

La pesca de alta mar representa sólo un 5% del total de las capturas, el resto es de bajura. La pesca artesanal es socialmente la más importante ya que contribuye a la ocupación pesquera, y es esencial para el equilibrio nutritivo, especialmente en zonas costeras de países en vías de desarrollo.

Es nesesario respetar el ciclo biológico de las especies, protegiendo algunas durante un cierto tiempo, y considerando que todo forma un nicho ecológico en el que la depredación masiva de una especie acarrea necesariamente la esquilmación por alteración de las demás. El aumento de las capturas en las dos últimas décadas ha sido el resultado del descubrimiento de nuevos recursos, la introducción de nuevas tecnologías y la aplicación del derecho marítimo. Pero la gestión de pesca de alta mar (adopción, seguimiento y aplicación de medidas eficaces de conservación) es inadecuada en muchas áreas, y algunos recursos están siendo sobreexplotados.

Hay que añadir el problema de la aplicación de ciertas tecnologías a la actividad pesquera que implican una agresión por la no selectividad y las exigencias de las fábricas conserveras.

Los barcos factoría se inventaron para poder pescar en alta mar porque se fueron esquilmando los bancos más próximos a las costas.

Las aguas costeras hasta la orilla de la plataforma submarina superior constituyen el 10% de la superficie de los océanos. El 99% de la pesca mundial procede de estas aguas costeras y de los relativamente escasos bancos.

La pesca supone el 2% de las calorías consumidas mundialmente por el hombre y casi el 14% de las proteínas animales.

La Conferencia de Tiblisi propone los siguientes remedios:
1. Intensificar la propagación de peces mediante técnicas adecuadas.
2. Transplantar las especies deseadas a las aguas adecuadas a su propagación.
3. Acuicultura en aguas de calidad protegida.
4. Mejorar el medio ambiente.

Pesquería
Lugar en el que suelen concentrarse grandes bancos de peces.

Pesticida
Es una sustancia -orgánica o sintética- que permite controlar y eliminar las plagas en plantas y animales. El CIEMAT desarrolla una tecnología solar para degradar pesticidas contenidos en aguas subterráneas y superficiales, lo que permitiría degradar aldrín o lindano tan frecuentes. Residuos como las dioxinas, PCB's o pesticidas disminuyen su toxicidad al ser expuestos a una radiación solar concentrada .

Al sustituir la combustión por energía solar se evita la formación de humos y liberación de sustancias como metales pesados. Los pesticidas contaminan tierra, agua y aire, empobrecen y desertizan los suelos y gestan residuos peligrosos en frutas y verduras. Son propios de una agricultura intensiva que trata de multiplicar el rendimiento de la tierra.

El DDT se prohibió pero se buscaron sustitutos, que cumplen su misión a corto plazo pero debilitan la planta, fortaleciendo las plagas, lo que exige más cantidad de producto pues la planta pierde defensas y las plagas se inmunizan.

3.000 personas resultan envenenadas actualmente con pesticidas agrícolas, de ellas 10.000 mueren.

Para sustituir los pesticidas se investiga sobre los repelentes bioquímicos, que están basados en hormonas animales.

Petróleo
Hidrocarburo procedente de la descomposición anaeróbica de plancton marino: Los organismos que componen el

plancton al morir caen al fondo marino formando una extensa capa. Las bacterias anaerobias los descomponen transformándolas en sapropel que posteriormente da lugar al petróleo.

El petróleo no puede utilizarse directamente tal como sale de la tierra, hay que refinarlo. La operación de refino consiste en una destilación fraccionada. Es decir que al ir calentándolo de modo adecuado se van obteniendo los componentes según su mayor o menor ligereza: Gases de petróleo, gasolinas ligeras, medias y pesadas, nafta, queroseno, gas-oil, fuel-oil y productos pesados como parafina, betún y coque.

Plantea problemas en tres momentos:

1. En el lugar de origen: Tierra o plataformas marinas con la consiguiente destrucción del paisaje.

2. En el transporte del crudo con todos los riesgos de vertido que implica.

3. En las plantas de transformación: Del petróleo crudo se obtienen varios cientos de derivados pero esto exige la instalación de enormes refinerías, con la consecuencia del impacto ambiental por los procesos a que se ha de someter el crudo y los residuos contaminantes que se desprenden.

Añadamos a esto el impacto producido por la combustión de los derivados. Cada año se derraman en el mar 3,5 millones de barriles, por accidente o intencionadamente. El 80% de las 20.000 Tm. que se vierten en el Mediterráneo procede de las operaciones de carga y descarga del crudo, del lastre de las embarcaciones y de la limpieza de cisternas. (Vid. Accidente petrolífero).

Petrología

Parte de la geología dedicada al estudio de las rocas, a partir de las propiedades físicas de las mismas: ópticas, roentgenográficas, análisis químicos, etc.

PGRR

Plan General de Residuos Radiactivos. Sus objetivos son: Información y análisis acerca de los residuos radiactivos, su cantidad y origen; definición de las estrategias y soluciones técnicas que se aplicarán a los residuos; establecer programas de investigación, formación y transferencia tecnológica; definición de funciones y responsabilidades de todos los sectores implicados en la gestión de residuos y establecimiento de un sistema financiero.

PH

La forma más directa de conocer la acidez de una sustancia es medir la concentración de cationes H^+. Se define el pH de una disolución como pH= log [H^+] = logaritmo decimal de la concentración de iones H^+.

Solución ácida es la que tiene un pH con un valor entre 0 y 7; solución básica, de 7 a 14; y solución neutra, pH=7.

PHN

Plan Hidrológico Nacional. Es el instrumento planificador del agua en España y trata de regular las diferencias entre las cuencas excedentarias del Norte y las deficitarias del Sur y Levante. Es de prever un fuerte incremento en las necesidades de agua de las cuencas, considerando que el aumento absoluto está previsto en 3.384 Hm^3.

El Plan Hidrológico Nacional exige gran cantidad de infraestructuras para incrementar los recursos, incluyendo la construcción de más de 200 embalses.

Pretende mejorar la calidad de los recursos hídricos subterráneos y superficiales, lo que exige un ahorro considerable en todos los usos del agua -que implicará campañas para moderar el consumo urbano- y la reforestación en las cabeceras de los ríos.

La industria deberá aplicar criterios de producción limpia para minimizar el consumo de agua. Por lo que respecta a la agricultura, habrá que estudiar la conveniencia o no de aumentar las zonas de regadío dado que hay superávit de producción si se tienen en cuenta los acuerdos con la Unión Europea.

En general, hay que garantizar medidas de protección al medio ambiente tales como: Preferencia de cultivo extensivo, disminución en el uso de fertilizantes y medidas de ahorro drásticas no sólo en la gestión de agua sino en la elaboración de un nuevo modelo de desarrollo y planificación.

Hay que tener presente que España solamente aprovecha el 40% del agua de lluvia que cae; y de éste el 84% es usado en cultivo de regadío, el 12% en demanda de la población y el 4% en la industria.

El Plan Hidrológico Nacional pretende racionalizar el agua en los próximos 20 años y su costo alcanzará los 3 billones de pesetas.

Sus objetivos son:

1. Agua embalsada: 250 embalses para aumentar la capacidad de embalse de agua en un 25%.
2. Pantanos: Aprovechamiento de los existentes como fuente de energía eléctrica y protección del entorno de los mismos, evitando la sobrepresión urbanizadora.
3. Depuración: Para que todas las poblaciones de más de 2.000 habitantes puedan depurar sus aguas.
4. Aguas subterráneas: Reducir la sobreexplotación que en la actualidad supone 1/4 de la fuente de obtención de agua que se consume.
5. Regadíos: Creación de 250.000 nuevas hectáreas de regadío.
6. Inundaciones: Construcción de 148 nuevos encauzamientos y canalizaciones para evitar inundaciones.

Uno de los problemas que se prevén es la destrucción de áreas naturales de especial interés y fuertes impactos ambientales. En esta línea se hallan las protestas formuladas por CODA (Coordinadora para la Defensa Ambiental).

Desde el punto de vista de la protección medioambiental debe procurar el Plan Hidrológico Nacional abordar el reto que suponen: La desertización y el cambio climático, la política de ahorro en el uso del agua y en las cuencas, el aumento de la calidad de aguas, un plan urgente de reforestación, la restauración de cubiertas vegetales y el apoyo a los planes industriales de tecnologías limpias.

Pila

Una pila es un aparato, sin piezas móviles, capaz de transformar la energía desarrollada en una reacción química en energía eléctrica. Las pilas alcalinas contienen 2 mg. de cadmio por kilo y las recargables 157 gr. por kilo. Por lo que tirar una pila recargable equivale a tirar 78.500 pilas alcalinas. Además, mientras que las alcalinas contienen 11,9 mg. de mercurio por kilo, las recargables no contienen mercurio.

La legislación europea prohibe comercializar pilas alcalinas de manganeso con un contenido superior al 0,025 % en peso de mercurio (Directiva del Consejo de las comunidades europeas de 1991), pero la concentración de cadmio no está legislada.

Pintura

Es un compuesto de un pigmento y un excipiente. Formado por aglomerantes diluyentes, disolventes, plastificantes y secantes. Durante mucho tiempo se utilizó como secante el plomo, que posteriormente ha sido sustituido por el manganeso y el cobalto; y como disolvente y diluyente la esencia de trementina, el white spirit y derivados de hulla y petróleo. A los pigmentos se unen resinas naturales y artificiales (fenol-formaldehido, urea-formaldehido y alquídicas), además de polietileno, policloruro de vinilo y poliacetato de vinilo. Dada su composición, los residuos de pintura son altamente tóxicos no sólo por su inhalación directa, sino por los vapores que pueden formarse al limpiar las superficies pintadas con productos que reaccionan con ellos.

Pirámide trófica

Modelo teórico gráfico de organización de una cadena trófica. Pueden representarse tres modelos distintos:
1. Pirámides de biomasas: Si se representa la biomasa de cada uno de los niveles tróficos.
2. Pirámides de energía: Si se representa la producción energética de cada uno de los niveles tróficos.
3. Pirámides de números: Si se representa el número de individuos que compone cada nivel trófico.

Plaga

Conjunto de organismos de cierta especie capaz de producir una enfermedad. Se aplica generalmente a los cultivos agrícolas.

Plaguicida

Tiene como finalidad buscar el incremento de la producción agrícola. Se utiliza para combatir las plagas propias de un cultivo intensivo, pero hay que tener en cuenta que el plaguicida provoca un beneficio inmediato y perjucio a largo plazo, al tener que aumentar su poder destructivo dada la resistencia de las plagas. Afecta al ser humano por vías cutánea, digestiva y respiratoria, tanto en el momento de la ingesta de los alimentos tratados con plaguicida como por el peligro de la contaminación de aguas. En España se utilizan 50.000 toneladas anuales.

Plancton

Seres vivos que flotan a la deriva cerca de la superficie acuática. Está compuesto por animales, vegetales y bacterias que habitan en estas aguas superficiales trasladándose a la deriva sobre las mismas. Hay pues un predominio de los movimientos pasivos; pero se detecta notable actividad.
Se puede distinguir entre:
1. Fitoplancton: Vegetal, que acumula la energía suficiente como para servir de alimento al zooplancton.

2. Zooplancton: Animal. Algunos de estos individuos del zooplancton son huevos o larvas, que posteriormente se convertirán en nadadores.
Los organismos del plancton son seres minúsculos y de acuerdo con su tamaño pueden clasificarse en: Macroplancton, más de un milímetro; Microplancton, de 76 a 1.000 micras; Nanoplancton,de 5 a 75 micras y Ultraplancton, menos de 5 micras.

Plantas

Un reino de los seres vivos. Son seres pluricelulares autótrofos y se reproducen sexualmente. A través de la fotosíntesis absorben CO_2 y producen O_2. Los beneficios para la tierra son innumerables: Retienen el suelo fértil, limpian el aire, producen energía, alimento, etc.
Hay 380.000 especies diferentes de plantas, de las que un 15% está en peligro de extinción. En España 75 especies están en peligro de extinción y 450 amenazadas, siendo 1.063 el número de especies autóctonas. Vid. Vegetales.

Plástico

Es un polímero sintético fácilmente moldeable por calor o compresión. Goza de propiedades dieléctricas y no tóxicas, pero es un residuo contaminante por su larga vida. Suele utilizarse en tuberías, construcción, componentes de fabricación y embalaje.
Está presente en toda la vida humana. Tiene un uso brevísimo y una duración larguísima, pues es muy difícil de eliminar. Cuando se incinera se desprende, entre otros contaminantes volátiles, fluoruro de hidrógeno que es peligroso por sí y contribuye a la lluvia ácida. El reciclado de este material es mínimo.
El plástico está presente en casi todos los empaquetados, calculándose que el 10% de la compra doméstica se gasta en ello. Enterrado ocupa mucho lugar y se mantiene intacto; no suele reciclarse y no se destruye.

Playa

Es una extensión de arena o guijarros muy erosionados y de superficie plana que corre a lo largo de una costa siendo sometida a la acción constante de las olas. El modelado de las playas es continuo debido al aporte por arrastre y erosión que el oleaje provoca sin cesar y la acción del viento que aporta material a la playa.

Un caso curioso es el de las playas artificiales que por necesidades turísticas se modelan a partir de arena tomada del fondo marino. Hay que tener en cuenta que la acción de las corrientes marinas exige regenerarlas continuamente. Cuando se construyen estas playas artificiales ocurre que son inestables: La arena, que se tomó del fondo del mar perjudicando todo el zooplancton y el fitoplancton, vuelve otra vez al mar debido a las olas, viento y temporales.

Para evitarlo se construyen barras y espigones con lo que se alteran las corrientes y así se vuelve a tener que regenerar cada cierto tiempo. La formación de barreras artificiales es capaz de cambiar la estructura y moldeado de una playa.

El hábitat humano en su modelo de turismo se impone sobre el régimen geomorfológico.

Plomo

Metal pesado, blando, fusible fácilmente, grisáceo y forma sales venenosas con los ácidos. Al contacto con agua pemanece inalterable; pero si el agua lleva disuelto oxígeno se forma hidróxido de plomo $Pb(OH)_2$ que es venenoso. Debido a su resistencia a la corrosión se utiliza como revestimiento. Se usa también en pinturas y en cristales.

Pluvisilva

Bosque de zona tropical en el que llueve casi todo el año, con un alto porcentaje de humedad. Supone el 6% de la superficie terrestre y acoge al 50% de las especies vegetales y animales del mundo.

Plutonio

Elemento químico que existe en la naturaleza en ínfimas cantidades. Se puede obtener artificialmente y es altamente radiactivo. Se obtiene bombardeando uranio con neutrones. Es susceptible de fisionarse y tiene una vida media calculada de 24.360 años. Se emplea como combustible en los reactores nucleares. Es muy tóxico pues se concentra en huesos y médula. La concentración de un nanogramo/litro de agua ya lo hace altamente peligroso.

Una ojiva estratégica contiene unos 3,5 kg. de plutonio, además.de 15 kg. de uranio enriquecido. Actualmente Rusia y Estados Unidos desguazan cerca de 4.000 ojivas anuales, lo que provoca cientos de kilogramos de plutonio con el consiguiente problema de guardarlo, ya que no hay tecnología suficiente para reciclarlo fuera del uso militar.

PNUMA

Vid. UNEP.

Población

Conjunto de individuos de la misma especie que hay en un tiempo determinado en un área. El estudio de una población implica conocer su crecimiento, densidad, dispersión, distribución espacial y por edades, migración, y tasas de mortalidad y natalidad.

La población humana -calculada actualmente en 5.000 millones de personas- será en el año 2.000 de unos 6.000, y a finales del siglo XXI, 11.000 millones.

Poiquilosmótico

Se dice de aquellos animales que no tienen capacidad de regular su concentración interna de sales y, en consecuencia, desarrollan su vida en áreas concretas. Ej.: Invertebrados marinos.

Poiquilotermo

Animal que no es capaz de mantener constante su temperatura corporal. También es denominado heterotermo.

Habitualmente son conocidos como animales de sangre fría, lo que significa que no son capaces de regular su temperatura interna, dependiendo ésta de la temperatura ambiental. Se adaptan alejándose del frío, por ejemplo viviendo bajo tierra para reducir los procesos metabólicos.

De un modo general son poiquilotermos todos los animales excepto las aves y mamíferos.

Polder

Terreno ganado al mar y utilizable para el cultivo. Exige la construcción de diques que separen del mar la nueva zona y el aporte necesario de tierra cultivable. Cuando se inicia el proceso se plantan vegetales capaces de soportar alta salinidad.

Polen

Microespora madura tanto de plantas angiospermas como de gimnospermas. Se transfiere de una flor a otra mediante el viento y animales (pájaros e insectos) en el proceso llamado polinización.

Poliestireno

Sustancia artificial obtenida por polimerización; contiene estireno y se usa en embalajes de productos alimenticios.

Poliuretano

Polímero con uretano, usado para aislamiento térmico y neumáticos.

Polución

Alteración de las condiciones de equilibrio de un ecosistema, por entrada o salida de elementos. En general se llama polución al vertido de productos naturales o manufacturados en el ambiente con efectos nocivos. La polución se describe en términos de DBO. Vid. Contaminante.

Polución orgánica

Acumulación excesiva de moléculas originadas por los organismos compatibles con la vida y generalmente metabolizables o degradables. La polución determina una disminución del índice de diversidad de las comunidades por dos causas que operan con distinta efectividad:
1. La muerte de una gran parte de las especies, excepto las más resistentes.
2. Los efectos fertilizantes simultáneos o subsiguientes favorecen a las contadas especies capaces de una rápida multiplicación.

La materia orgánica fácilmente metabolizable como las aguas de vertidos domésticos y agrícolas es usada directamente por las bacterias. Su metabolismo es muy intenso, en aguas muy ricas en materia orgánica consumen gran cantidad de oxígeno, estableciéndose condiciones difíciles para los organismos que han de respirar el oxígeno disuelto. Prosperan sólo las especies resistentes, o larvas de insectos que respiran el oxígeno atmosférico. El grado de polución orgánica de un agua puede conocerse calculando la DBO.

La materia orgánica en forma de basuras que llega a un lago, por ejemplo, es metabolizada en el fondo por los organismos descomponedores, liberándose sustancias minerales que enriquecen el agua y provocando gran producción de algas, que al morir van al fondo y siguen el mismo ciclo. Pero si las basuras son ricas en fósforo (caso del detergente) los descomponedores agotan el oxígeno disponible y no pueden continuar su actividad. Surgen bacterias anaerobias cuyo metabolismo da lugar a sustancias malolientes y tóxicas, haciéndose imposible la vida. Así se suele hablar de tres tipos de lago:
a) Oligotrófico, de aguas claras y azuladas.
b) Mesotrófico, de aguas claras algo verdosas.
c) Eutrófico, de aguas verdes y con aspecto de vertedero.

Polutante

Es un neologismo utilizado en Ecología para referirse a los contaminantes.

Potencial biótico

Capacidad que tiene una población de elevar su curva de crecimiento. Está en función del potencial de reproducción de cada individuo y del número de individuos presentes en un determinado momento. Consecuentemente la tasa de variación de la población es proporcional al número de unidades reproductoras. Es decir, que la distribución de individuos por edades da lugar a tres grupos: Prerreproductivos (grupos jóvenes y en desarrollo), reproductivos (grupos adultos con capacidad de reproducción) y postreproductivos (su dominio implica una población regresiva).

El potencial biótico varía con las variaciones del medio ambiente y con la densidad, pues disminuye a medida que aumenta la aglomeración.

Pradera

Bioma terrestre propio del clima continental de latitud media. La precipitación se equilibra con la transpiración de las plantas. La vegetación es hierba alta como un césped continuo y sin árboles.

Pradera marina

Extensión subacuática formada por algas en los mares templados y tropicales. Se encuentra a poca distancia de la costa y cumple la función de capturar sedimentos. Esta tarea, que permite una limpieza del agua, hace a las praderas vulnerables a la contaminación que puede llegar a destruirlas. A la vez sirven de lugar de cría para los peces.

El enemigo fundamental son los vertidos indiscriminados y las operaciones de dragado, drenaje y relleno, el desarrollo turístico y la sedimentación de origen costero. Su protección está encomendada al Centro de Programas y Actividades Oceánicas y Costeras de Nairobi (PNUMA).

Precaución, principio de

Recomendación del Tratado de Maastricht por el que se establece que una sustancia, producto, o proceso debe ser considerado como peligroso en tanto no demuestre su inocuidad y su compatibilidad con la salud pública y el medio ambiente.

Precipitación

Acción que permite que una determinada sustancia que se halla en solución en un disolvente se separe del disolvente y se concentre en el fondo.

Se utiliza también este término para indicar una de las fases en el proceso de reconversión de las aguas: Aquella en la que se logra que las sustancias pesadas se depositen en el fondo separándose del elemento líquido que las acompañaba.

Predador

Vid. Depredador.

Presa

Animal que sirve de alimento a otro dentro de la cadena alimentaria.

Presión atmosférica

Se define presión atmosférica como la fuerza que ejerce una masa de aire por unidad de superficie. En el nivel del mar a 45° de latitud y 0 °C su valor es de 760 mm Hg.

Como la presión atmosférica disminuye a medida que aumenta la altura, los seres vivos en tales condiciones adaptan su organismo a su disminución.

Presión hidrostática

Fuerza que ejerce una masa de agua por unidad de superficie, aumentando una atmósfera (1.013 milibares) por cada 10 metros de profundidad. A medida que aumenta la profundidad, la estructura de los seres se aplana para soportar la presión.

Prevención, Principio de

Recomendación del Tratado de Maastricht que regula el abandono de la producción y uso de sustancias tóxicas.

Implica la sustitución de estas sustancias por otras aplicando el Principio de Precaución.

Producción

A la cantidad de materia orgánica elaborada en una unidad de tiempo se la denomina producción bruta. La producción neta se obtiene restando la consumida para los procesos catabólicos.

Productividad de la biomasa

Se entiende por producción de una biomasa el aumento que ésta experimenta en una unidad de tiempo. Suele expresarse en mg/cc/día, o por kg/Ha/año o por Kcal/Ha/año.

La producción indica la biomasa disponible dispuesta para ser utilizada por el nivel trófico siguiente sin alterar la estabilidad del ecosistema. Producción=biomasa/tiempo.

La producción primaria es el aumento de biomasa de los organismos primarios o fotosintéticos. Y puede ser producción primaria bruta, que es la que estos sintetizan mediante la fotosíntesis; y producción primaria neta, que es la diferencia entre la producción primaria bruta y la consumida por respiración.

Producción secundaria es el aumento de biomasa por unidad de tiempo y superficie en los niveles de consumidores y descomponedores.

Se llama producción neta del ecosistema la diferencia entre la energía fijada y la que usan en respiración los autótrofos y heterótrofos.

La productividad es la relación entre producción y biomasa y está en función de la capacidad de reproducción que tiene la biomasa.

Productor

Ser vivo capaz de crear materia orgánica. Los productores son los vegetales, ya que son los únicos que transforman la energía luminosa en energía química gracias al proceso de la fotosíntesis.

Programa de vigilancia ambiental

Sistema que garantiza el cumplimiento de las indicaciones y medidas protectoras y correctoras contenidas en los EIA. Este pograma pretende otorgar a la Administración el procedimiento, mediante la información correspondiente, para comprobar que las medidas correctoras y protectoras son aplicadas. Ello permite además prever impactos futuros que no hayan sido estimados durante la Evaluación del impacto.

Programas de investigación y protección

Dentro de las ayudas económicas para el medio ambiente ortorgadas por la Comunidad Europea, se pueden citar las siguientes:

1. BRIDGE: Investigación sobre cuestiones biológicas que facilite la explotación y utilización óptima de los recursos comunitarios.
2. ECLAIR: Sobre el desarrollo agroindustrial para aumentar la competitividad de la Comunidad.
3. MAST: Sobre desarrollo de tecnologías para la protección y explotación de recursos marinos.
4. EURET: Sobre logística y optimización en el transporte.
5. THERME: Sobre innovaciones en programas energéticos.
6. FLAIR: Sobre optimización en la industria alimentaria.
7. TELEMAN: Sobre control en la industria nuclear.

Propiedad emergente, principio de

Establecida la organización jerárquica de la Naturaleza se sabe que cada uno de los niveles se caracteriza por disfrutar de ciertas propiedades funcionales que le identifican. Y así se entiende como principio de propiedad emergente la característica definitoria de un determinado nivel ecológico, que le diferencia del inmediatamente anterior y que surge como resultado de la interacción funcional de sus componentes.

Proteína

Molécula esencial de los seres vivos formada por las cadenas de aminoácidos. Contiene carbono, hidrógeno, nitrógeno y oxígeno, y en menor cantidad fósforo, azufre, magnesio, etc.

Las funciones realizadas por las proteínas son: Estructurales, catalizadoras de las reacciones biológicas, inmunológicas –al defendernos de ataques externos– y mediadoras, en cuanto que realizan función de transporte.

Prueba nuclear

Es un ensayo que consiste en explosionar a una determinada profundidad (cercana a un kilómetro) una bomba. Una bomba atómica se basa en la reacción en cadena producida por la fisión nuclear, desprendiendo gran cantidad de energía.

El orificio practicado se cierra herméticamente con hormigón. Producida la explosión del artefacto nuclear se toman los datos correspondientes. La contaminación se produce por la penetración de partículas radiactivas por las grietas de la tierra y vetas freáticas.

Francia ha decidido reanudar las pruebas nucleares en el Océano Pacífico, China continúa realizándolas y quizás Estados Unidos se lo está planteando.

El "Club atómico" está formado por Estados Unidos, Rusia, China, Francia y Reino Unido. A ellos hay que añadir otros países que no son miembros del Club pero igualmente desarrollan programas nucleares (Corea del Norte, Irak, Israel y Pakistán).

Desde el final de al Segunda Guerra Mundial se han llevado a cabo más de 2.000 pruebas en todo el mundo. Los partidarios de las pruebas defienden éstas con las justificaciones de: Evitar el envejecimiento de sus arsenales, poner a punto los procedimientos de fabricación de las mismas sin riesgo, y obtener datos que permitan disponer de mecanismos de simulación numérica en laboratorio.

Parece ser que el 50 aniversario de la masacre de Nagasaki e Hirosima ha sido motivo para un planteamiento más decidido que fuerce la conclusión rápida del CTBT (Tratado de prohibición total de ensayos nucleares).

Putrefacción

Descomposición de la materia orgánica por el crecimiento de microorganismos anaerobios. La degradación de las proteínas provoca olor fétido.

PVC

El policloruro de vinilo es una materia termoplástica producida a partir de materias primas naturales, sal y petróleo, de larga duración.

En 1835 se sintetizó el PVC. Se compone de un 43% de petróleo y un 57% de sal gema. Se unen el etileno procedente del petróleo y el cloro procedente de la sal y así se obtiene un gas incoloro: el cloruro de vinilo (V C). Bajo la acción del oxígeno y la luz dicho gas se polimeriza; es decir, las moléculas se encadenan formando moléculas más grandes, dando lugar a una materia sólida, el PVC. Además, el petróleo y la sal se conservan en el PVC y pueden ser posteriormente recuperados químicamente. El PVC elimina el cloro –producto residual de la fabricación de la sosa cáustica– del circuito químico, lo neutraliza y forma otro circuito, en el que el cloro se recicla en cloruro sódico. El PVC en polvo se obtiene al cabo de varias fases de transformación.

Está autorizado como material de construcción en un 60% (tuberías, canalones, revestimientos exteriores, tejados, muros, tabiques interiores), incluso se permite para el embalaje de productos como carne fresca. También se usa en la fabricación de bolsas para sangre, tubos para transfusiones o diálisis, insecticidas, tarjetas de crédito, máquinas de escribir, discos, juguetes, etc.

Para elaborar el PVC se requiere gas cloro, que por su inestabilidad necesita combinarse con otros productos orgánicos con contenido carbónico y es difícil de eliminar.

QO$_2$:

Consumo de oxígeno, en microlitros, por miligramo de peso seco por hora. Mide la respiración de un organismo.

Queroseno

Líquido hidrocarburado de color ligeramente amarillo que es obtenido como producto intermedio entre la gasolina y el gas-oil, en el proceso de destilación. Se utiliza como combustible en aviación.

Qimiotropismo

Cambio que se produce en el crecimiento de organismos vegetales a consecuencia de la estimulación provocada por sustancias químicas.

Radiación

Propagación de energía en forma de ondas. Emisión electromagnética.

Radiación infrarroja

Zona del espectro electromagnético que comprende las longitudes de onda entre 10^{-3} y $7,8 \times 10^{-7}$ metros.

Radiación solar

Es la radiación de partículas -electrones, protones y núcleos atómicos pesados raros- y electromagnética -con longitudes de onda que oscilan entre 0,01 nanómetros y 30 kilómetros- emitida por el sol.

La radiación solar que recibe una superficie depende de su orientación, inclinación, condiciones climáticas, etc. Su magnitud se obtiene sumando: Radiación directa (del sol), radiación reflejada (después de haberse reflejado en el suelo o edificios circundantes) y radiación difusa (procedente de direcciones aleatorias y resultante de reflexiones, en nubes o aerosol atmosférico, de la directa). La nieve refleja un 85% de la radiación solar, la arena de la playa un 17 %, el agua un 5% y la hierba un 2,5%.

Radiación ultravioleta

Zona del espectro electromagnético que comprende las longitudes de onda entre 200 y 400 nanómetros.

La radiación ultravioleta permite que el pigmento llamado melanina adquiera color oscuro. Se trata de un proceso fotoquímico que hace que se sinteticen nuevas moléculas de melanina. La radiación ultravioleta permite además la síntesis de la vitamina D.

Los bronceadores permiten disminuir la dosis de luz que recibe la piel absorbiendo las radiaciones ultravioleta.

Radiación visible

Zona del espectro electromagnético que comprende las longitudes de onda entre 0,39 y 0,76 micras. Vid. Luz.

Radiactividad

Las sustancias radiactivas emiten partículas y ondas eletromagnéticas. La desintegración radiactiva significa la rotura de un átomo con emisión de partículas radiactivas o rayos -alfa, beta o gamma-. Esta radiación es de tres tipos:

Rayos alfa: Núcleos de helio (formados por dos protones y dos neutrones) su velocidad es de 30.000 Km/s. No llegan a atravesar la piel humana.

Rayos beta: Son electrones con una velocidad cercana a la de la luz. Penetran un centímetro bajo la piel humana.

Rayos gamma: Radiación electromagnética que procede directamente del núcleo. Con mayor poder de penetración que las otras dos.

Se utiliza en química, biología, agricultura, medicina, metalurgia, geología, etc.
Los daños causados por la radiación se miden en REM. El riesgo de sufrir enfermedades congénitas provocadas por mutaciones genéticas consecuencia de la radiación se eleva a 3×10^{-3} por cada REM recibido para cada persona y generación.
La RAR (Red de Alerta a la Radiactividad) dispone de 902 estaciones tanto en lugares cercanos a centrales nucleares como núcleos de población importantes y a lo largo de las fronteras. Sirve para dar la alerta en caso de emergencia e informar sobre su evolución y aporta datos sobre radiación gamma. Complementa a la Red de Vigilancia Radiológica ambiental (REVIRA) del Consejo de Seguridad Nuclear. Esta última proporciona datos sobre tasa de radiación, concentración de emisores (alfa, beta, radón, radioyodos) y variables meteorológicas.
Hay una radiactividad natural que puede ser del tipo radio, actinio, torio y neptunio.

Radón

Gas incoloro, inodoro y tóxico, se produce en el suelo al descomponerse el mineral de uranio y se disipa en el espacio. Puede encontrarse en los elementos de construcción de las viviendas asentadas en terrenos donde el gas se produce. Al aire libre se diluye pero en interiores su concentración es peligrosa, especialmente en regiones graníticas y edificios que usan este material. Hoy en día representa un problema en Extremadura, Salamanca, sierra de Madrid y Galicia.

Raza

Conjunto de poblaciones de una misma especie pero genéticamente diferente de otro conjunto. Las razas se originan por distanciamiento geográfico y la consecuente adaptación a las diversas condiciones del medio.

Reactor nuclear

También llamado pila atómica, es una estructura que permite la fisión nuclear, que provoca una reacción en cadena con desprendimiento de gran cantidad de energía.

Reciclar

Proceso de aprovechamiento de materiales tantas veces como sea posible, con lo que se evita la producción de algo nuevo. Se reciclan materiales combustibles (Papel, cartón, plásticos, maderas, textiles, cueros y gomas), materiales fermentables (restos de comida y otras materias orgánicas) y materiales inertes (metales, vidrios, tierras y cenizas)
Las fases del reciclaje son:
1. Al separar en el punto de origen los diferentes materiales y recogerlos en contenedores especiales, cada tipo de material se lleva limpio y seleccionado a la planta de reciclaje.
2. Fabricar un buen compost. Separados los componentes de mayor valor queda una materia orgánica susceptible de ser compostada que puede ser usada en agricultura o repoblación forestal.
3. Destinar a la venta los materiales reciclados.
El reciclaje no es la panacea, porque no se consigue de forma gratuita. Lo que se va a reciclar deber ser recogido, transportado, limpiado y preparado. Todo esto cuesta dinero y energía. De aquí parte también la petición de balances ecológicos que valoren objetivamente sus ventajas y desventajas. Hay que advertir que algunos residuos generados en el proceso industrial de reciclaje de productos industriales pueden resultar incluso más nocivos que los que se intentaban eliminar.

Recogida selectiva de basuras

El tratamiento de los desechos más respetuoso con el medio pasa por el reciclaje y éste por la recogida selectiva de basuras. Optimizando la recuperación de materias se consigue reducir la degradación ambiental y el número de vertederos e incineradoras, a la vez que se ahorran materias primas, energía y dinero.

Aunque en las plantas de reciclaje se separe una parte de los materiales que lleguen mezclados a ella, estos se ensucian y contaminan mutuamente. En consecuencia sólo se puede reciclar una mínima parte; por tanto, el mejor sistema para reciclar es la recogida selectiva de RSU.

La comercialización del material recuperado tiene el problema de la falta de mentalidad dispuesta para la compra de un producto elaborado con dicho material.

Hoy ya suelen encontrarse depósitos para papel-cartón, vidrio, aceites, neumáticos, pilas, plástico. Se estima que para conseguir que la recogida selectiva sea efectiva, la proporción ideal ha de ser de un contenedor por cada 2.000 habitantes.

Recursos forestales

La Declaración de Río establece que los recursos forestales han de ser objeto de una ordenación sostenible para atender las necesidades sociales, económicas, ecológicas y culturales de las generaciones presentes y futuras. Estas necesidades se refieren a productos y servicios forestales, agua, alimentos, forraje, medicamentos, comestibles, hábitat para la fauna y la flora, diversidad en el paisaje, almacenamiento y depósito de carbón, etc.

Se habrían de adoptar medidas adecuadas para proteger los bosques de los efectos nocivos de la contaminación, incluida la transportada por el aire, y de los incendios, plagas y enfermedades con el fin de mantener íntegramente su valor múltiple.

Los bosques tienen una función importante en la satisfacción de las necesidades de energía, ya que suministran una fuente renovable de bioenergía, particularmente en países en desarrollo. La demanda de leña para finalidades domésticas e industriales se habría de satisfacer mediante la ordenación y la reforestación sostenible de los bosques. En este sentido es necesario reconocer la contribución que pueden aportar las plantaciones de especies autóctonas o foráneas a la provisión de madera para combustible y para finalidades industriales.

Recurso pesquero

Conjunto de seres que se encuentran en un medio acuático y son capturados para la alimentación humana.

Red alimentaria

Relación alimentaria en un ecosistema: los productores (plantas) ofrecen su materia orgánica a los consumidores primarios y estos a los secundarios; los descomponedores (bacterias y protozoos) transforman la materia orgánica en inorgánica y vuelve a empezar el proceso.

Red automática de control de contaminación

Conjunto de estaciones automáticas que miden valores instantáneos de parámetros como concentración de NO_x, O_3, CO, SO_x, etc. Permite detectar situaciones de alarma en los cascos urbanos al tratarse de estaciones centralizadas y vigiladas. Asimismo, el Instituto Nacional de Meteorología y otras instituciones disponen de aparatos para evaluar la contaminación media (incluida la radiactividad) en España, evaluando también la incidencia de la contaminación transfronteriza.

Red natura 2.000

Relación de áreas que deben ser protegidas dentro de la Directiva de hábitats.

Reglas ecológicas

1. Asume tus responsabilidades.
2. No malgastes energía.
3. No malgastes el agua.
4. No seas violento con la naturaleza.
5. No derroches: reduce, reutiliza y recicla.

6. Prefiere los productos locales a los lejanos.
7. Diversifica los recursos.
8. Vigila los productos químicos.
9. Minimiza lo inevitable.
10. Ten paciencia.

Reino

Primer nivel en la división taxonómica. Los seres vivos se agrupan en estos cinco grandes reinos: monera (bacterias, cianobacterias, ricketsias y mixomicetos), protoctista (algas, protozoos y hongos primitivos), hongos, plantas y animales.

Relaciones bióticas

Relaciones ambientales establecidas entre los distintos organismos de una biocenosis o comunidad. Pueden agruparse en dos grandes tipos, intraespecíficas e interespecíficas.

Relaciones bióticas interespecíficas

Relaciones bióticas entre individuos de especies distintas. Las fundamentales son: Antibiosis (determinados hongos que producen antibióticos como la penicilina), comensalismo (la rémora y el tiburón), competencia (paramecio y bacterias), depredación (águila y ratón), epibiosis (plantas epifitas), explotación (el cuco europeo), foresia (ciertos ácaros), inquilinismo (agrupación de insectos en las madrigueras de los mamíferos), mutualismo (asociación entre la actinia y el cangrejo ermitaño), parasitismo (tenia), simbiosis (microrganismos alojados en el intestino de los animales) y tanatocresis (cangrejo ermitaño).

Conviene destacar dos aspectos en las relaciones interespecíficas: La competencia por interferencia, si la actividad de un individuo limita el acceso de otro al recurso común, y la competencia por explotación, cuando varias especies tienen acceso a la vez a un mismo recurso.

Relaciones bióticas intraespecíficas

Relaciones bióticas establecidas entre individuos de la misma especie. Son variables: temporales o perennes; favorables (cooperativas) o perjudiciales (competitivas). Dan lugar a distintos tipos de asociaciones: familiares (aves, mamíferos), coloniales (medusas), gregarias (bancos de peces), estatales (abejas) o territoriales (leones).

Repoblación

Cuando la renovación de una determinada especie no es posible por causas naturales (la relación entre los individuos presentes y la tasa de sustitución de los mismos está alterada) la restitución del equilibrio del sistema exige tareas de repoblación.

En ocasiones, el tiempo de renovación es muy largo, lo cual mantendrá el sistema roto durante un largo tiempo. Los medios tecnológicos de que se disponen hoy en día permiten el cultivo en granjas especiales de especies cuyos individuos serán luego depositados en su hábitat correspondiente. Es lo que se hace con especies en peligro como el voltor mallorquí y la cabra hispánica, o con otras que interesan para el ecosistema como cierto tipo de predadores.

La repoblación deberá hacerse siempre atendiendo a criterios de especies autóctonas que se adapten a las condiciones climatológicas.

Repoblación forestal

Acción de plantar árboles en las zonas que han sido desprovistas de su cubierta vegetal, natural o accidentalmente. Debe considerarse como una restitución de la misma, y nunca debe guiarse por criterios de ventaja económica, sino de recuperación de flora autóctona. Se deben restaurar especialmente las zonas más proclives a la erosión.

Las especies utilizadas en la repoblación han sido: pino (pinaster, silvestre, halepensis, laricio, piñonero, radiata, canario), eucalipto, chopo, alcornoque, castaño, roble, etc.

Los objetivos que se buscan en la repoblación son dos: Restaurar el equilibrio del medio y mejorar los recursos. Hay que eliminar el error de querer asemejar la masa forestal española a la centroeuropea olvidando el bosque propiamente mediterráneo.

Reserva natural

Espacio creado para proteger ecosistemas dada su fragilidad o singularidad; en ellos se limita la explotación de recursos. En España hay 85 reservas naturales, que suponen en su conjunto 17.000 hectáreas.

Reservas de la biosfera

Espacio protegido dentro del pograma MAB de la Unesco.

Las reservas de la biosfera de España son: Urdaibai (País Vasco), Ordesa (Aragón), Montseny (Cataluña), Menorca (Baleares), Manzanares (Castilla-La Mancha), Mancha Húmeda (Castilla-La Mancha), Cazorla, Segura y Las Villas (Andalucía), Marismas del Odiel (Andalucía), Doñana (Andalucía), Sierra Nevada (Andalucía) Grazalema (Andalucía), El Canal y Los Tiles (Canarias) y Lanzarote (Canarias).

Residuo

En ecología se da el nombre de residuo a todo material o forma energética que se lanza al medio ambiente y que puede producir contaminación. Más del 26% de los residuos urbanos e industriales en España tienen aún un tratamiento inadecuado. Se acumulan en vertederos incontrolados o se vierten directamente al agua. Sólo se trata adecuadamente un 30% de los residuos; el resto está en espera de mejor gestión, muchos de ellos almacenados en las propias industrias.

Diluir, dispersar, enterrar, verter o incinerar no es una solución para los residuos ya que sólo traslada el problema de un lugar a otro, pero no lo elimina.

Residuos agrícolas

Los residuos agrícolas permiten la obtención de: Compost, por apelmazamiento y trabajo en estratos; metano, mediante digestión anaerobia; etanol, mediante fermentación bacteriana, etc.

Además, los residuos agrícolas con altos niveles de celulosa, hemicelulosa y lignina pueden ser tratados con ácidos disolventes o con enzimas o mediante la utilización de organismos termófilos.

Residuos peligrosos

Se llama residuo peligroso a aquel que cumple una o varias de estas condiciones: Corrosivo (capaz de disolver contaminantes tóxicos), inflamable (fácilmente combustible), reactivo (inestable ante el calor o choques) y tóxico (capaz de liberar productos tóxicos).

Las fuentes de residuos peligrosos se distribuyen aproximadamente así: Fabricación de productos metálicos, 10,2%; fabricación de automóviles, 11,2%; industria química, 32,6%; industria de productos no metálicos, 1,4%; fabricación de maquinaria, 1,3%; refino de petróleo, 1,5%; industrias de madera y corcho, 1,9%; producción de transformaciones de metales, 4,1%; industria del cuero, 7,1%; industria papelera, 7,6%; alimentos y bebidas, 8,1%; fabricación de material eléctrico, 3,4%; resto, 9,6%.

En España sólo se recogen 90.000 de las 250.000 toneladas que se generan de aceites usados. Por otra parte, se producen unos 3,5 millones de toneladas de residuos tóxicos y sólo un millón recibe algún tipo de tratamiento.

El problema no tiene fácil solución de momento por las implicaciones económicas que conlleva. Las empresas no declaran la cantidad de residuos que generan porque entonces deberían tratarlos y encarecerían los costes del producto. A corto plazo debería haber un control estricto de lo que se produce. En una segunda etapa habría que generar la menor cantidad posible de residuos; es decir, producir estrictamente lo necesario y no lo superfluo. Para poder llevar esto a cabo se hace necesaria una tecnología punta en la detección, almacenamiento y reciclaje de los residuos; y en un segundo estadio, desarrollar métodos de producción más limpios y respetuosos con el medio ambiente. Esta tecnología existe pero es cara y su uso depende de las prioridades políticas.

Residuos radiactivos

Se presentan en estado gaseoso, líquido o sólido y se clasifican de acuerdo con su nivel de radiactividad en alto, medio o bajo. El nivel alto es peligroso durante decenas de miles de años.

Las centrales nucleares en funcionamiento en España proporcionan el 35% de la electricidad producida; pero sus desechos radiactivos van aumentando (dentro de poco tendremos unas 5.500 toneladas de residuos de alta actividad) y surge el problema de dónde almacenarlos. En este sentido la Administración dispone de 20 años para tomar decisiones sobre el almacenamiento de residuos.

El plutonio 239 (residuo de la fisión del uranio) tarda 24.000 años en reducir su actividad a la mitad (vida media), y cualquier sustancia radiactiva necesita pasar diez veces su vida media para tener un cierto nivel de seguridad para las personas.

Las empresas dedicadas al almacenamiento de residuos se ponen como meta los 10.000 próximos años. Se pensó incluso en inyectar residuos radiactivos en los fondos marinos, pero este sistema presenta un alto costo y un riesgo excesivo.

En el mar, y a unos 4.000 metros de profundidad, se depositaron miles de toneladas de residuos radiactivos. Algunos de esos bidones ya flotan a la deriva tras haber dejado escapar al mar su peligrosa carga.

Los residuos radiactivos constituyen uno de los problemas que más polémica suscita y ha sido tomado como bandera por sectores políticos y ecologistas.

Residuos sólidos urbanos

RSU. Los residuos sólidos urbanos pueden clasificarse así: Residuos sólidos domésticos, residuos industriales sólidos y pastosos que no requieren tratamiento previo de neutralización, restos de animales y productos decomisados, residuos clínicos, residuos inertes y residuos industriales especiales.

Las medidas apropiadas para su tratamiento son:

a) Reducir en origen: Nuevas tecnologías en la empresa, fabricación de productos reciclables, separación de basuras domésticas, utilización de energías renovables, utilización de energías menos contaminantes (gasolina sin plomo, gas natural para calefacción o fotovoltaica), etc.

b) Tratar los residuos de modo que puedan refabricarse una vez que se han quemado, tratarlos en incineradoras de alta temperatura, investigación de productos que añadidos a lo que se quema no produzcan dioxinas, furanos, etc.

Resistencial ambiental

Llamando K a la capacidad del medio y N al número de individuos, la capacidad ambiental es la relación (K-N)/K. Consecuentemente los valores oscilan entre cero (cuando el número de individuos llega al límite máximo) y uno (población con escaso número de individuos).

Responsabilidad compartida, principio de

Recomendación del tratado de Maastricht que implica que todo acto de protección medioambiental exige participación y cooperación de todos y cada uno de los grupos sociales que se ven afectados, y en cada una de las fases: Estudio, autorización, licencias, acceso a la información, instalación y generación de residuos.

Revolución verde

Movimiento que tuvo lugar en la década de los sesenta en el Tercer Mundo, con el desarrollo de técnicas para producir semillas que generaran alimento para todos. Fue un fracaso.

En 1962 se creó el plan indicativo mundial para el desarrollo agrario, conocido popularmente como Revolución Verde, que no tenía intención de crear zonas verdes. Su proyecto era producir variedades de alto rendimiento de trigo y arroz, reproducir en latitudes bajas el cambio que ya se había dado en la agricultura de latitudes altas.

Algunos problemas que se plantearon: Mantener el empleo agrícola, adaptar el uso de fertilizantes a condiciones distintas de pluviosidad y desarrollar otras variedades de grano. A ello se añadieron problemas con variedades obtenidas difíciles de controlar, e incluso problemas políticos y de tipo administrativo.

Riego

Aportación de agua a un terreno que se efectúa cuando es necesario compensar la insuficiencia de las precipitaciones o de las reservas del suelo, con el fin de favorecer el desarrollo de los vegetales cultivados y aportar elementos fertilizantes.

Las necesidades hídricas de un cultivo deben calcularse a partir de la evapotranspiración potencial del mismo, de acuerdo con la siguiente fórmula: $NH = (k^x etp) + RHS - NP$, donde: NH=necesidades hídricas; k=variable según el tipo de cultivo; etp=evapotranspiración potencial; RHS=reserva hídrica del suelo; NP=nivel de precipitaciones.

El riego puede adquirir las siguientes modalidades:

a) De superficie, permitiendo que el agua circule libremente por la superficie: Por sumersión del terreno, desborde o infiltración, dependiendo del tipo de terreno.

b) Por aspersión, método que no tiene en cuenta el tipo de terreno y que consiste en lanzar agua a una presión entre 3 y 5 kg/cm^2.

c) Por goteo, que es el sistema que economiza más agua, al distribuirla a poca presión en pequeños orificios realizados en la base de la planta;

d) Por control de capa, cuando se mantiene el manto freático favoreciendo la absorción capilar de las raíces.

Río

Se denomina comúnmente río a toda corriente natural de agua continua que aboca en otra, en un lago o en un mar. Teóricamente pueden distinguirse tres tramos bien diferenciados:

1. Cabecera o tramo alto: Con fuerte poder erosivo, eficaz transporte y nula sedimentación.

2. Tramo medio: Con menor pendiente y predominio del transporte.

3. Desembocadura: La pendiente ya es mínima y la sedimentación máxima formando llanuras aluviales.

El río, que tiene capacidad para moldear su propio valle mediante la erosión fluvial, tiene un determinado perfil de equilibrio que está en función de dos variables:

a) Potencia bruta, que es la energía de la cantidad de agua que pasa por una sección dada, por segundo.

b) Potencia neta, o diferencia entre la potencia bruta y la absorción por roce y transporte de materiales en solución.

Las tres actividades propias -erosión / transporte / sedimentación- van determinando el paisaje fluvial que se traduce en una profundización y ensanchamiento de las riberas.

Ritmo

Movimiento cíclico generado por la acción del Sol, la Luna y la Tierra y que implica cambios de comportamiento en los seres vivos: Reproducción, alimentación, distribución, movimientos migratorios, hibernación, transformaciones externas de piel o plumas, etc.

El ritmo biológico implica la repetición a intervalos regulares de tiempo de determinados comportamientos. Pueden ser endógenos cuando dependen del reloj biológico interior; o exógenos, cuando dependen del medio.

Según su periodicidad los ritmos pueden ser nictemerales (asociados a la sucesión día-noche, como las hormigas), lunares (asociados a las fases lunares, como la migración de las anguilas) y estacionales (asociados a la fotoperiodicidad, como la floración de las plantas).

Roca

Parte del sustrato terrestre sobre la que se dan los diferentes horizontes del suelo. Los tipos son:

1. Magmática: Originada por la solidificación del magma, en el interior de la tierra (rocas intrusivas) o en el exterior (extrusivas o volcánicas).
2. Metamórfica: Originada a partir de otras que han sufrido cambios a causa de las altas presiones y temperaturas.
3. Sedimentaria: Originada por la sedimentación y posterior compactación de detritos procedentes de la erosión.

RTP

Residuo Tóxico Peligroso. La OCDE estima que se producen 338 millones de toneladas de RTP's al año. Algunos de los productos de desecho considerados como residuos tóxicos y peligrosos son: Alquitranes, antimonio, arsénico, asbestos, azidas, berilio, biocidas, cadmio, carbonilos metálicos, cianuros, cloratos, cobre, compuestos fenólicos, compuestos organohalogenados, cromo, disolventes clorados, disolventes orgánicos, éteres, fármacos, hidrocarburos aromáticos, isocianatos, mercurio, organoclorados, percloratos, peróxidos, plomo, productos químicos de laboratorio, selenio, talio y teluro.

Las empresas productoras de RTP's deben atenerse a la estricta legislación vigente en cuanto a la declaración, almacenamiento y posterior gestión de estos. Uno de los graves problemas de los RTP's es la exixtencia de vertederos incontrolados. La gestión responsable de los RTP's debe empezar por una –aún imprecisa– definición, un control sobre importación y exportación de los mismos y una gestión interior.

Las acciones que habitualmente se llevan a cabo con los RTP's son muy variadas: Depósito subterráneo a profundidad, enterramiento, incineración, reciclaje, tratamiento físico-químico y vertidos en ríos y en el mar. El método utilizado por algunos países llamado de coeliminación consiste en la mezcla indiscriminada con la basura doméstica y multidistribución en vertederos. Este procedimiento carece de las garantías suficientes, pues no se conoce el efecto que puede producir a largo plazo. Sabido es que el único método de combatir los riesgos de los residuos tóxicos peligrosos es no producirlos.

Ruido

La resolución del Consejo de las Comunidades Europeas de Mayo de 1987 define ruido como: "Conjunto de sonidos que adquieren para el hombre un carácter efectivo desagradable y más o menos inadmisible a causa, sobre todo, de las molestias, la fatiga, la perturbación y en su caso, el dolor que produce". Y en opinión de W. Kloster Kötter, el ruido es un "sonido indeseado, perturbador y peligroso para la salud".

El sonido es la energía mecánica de una superficie vibrante transmitida por una serie de compresiones y expansiones cíclicas de las moléculas del material a través del que se transmite.

La ruidosidad no puede medirse con instrumentos pues es la respuesta subjetiva a la energía sonora que alcanza nuestro oído y cerebro. En acústica, para medir una escala de equivalencias de la sensación de ruidosidad se usan términos como el fon, son, PN, dB y su unidad asociada, el noy.

Algunos ejemplos de medidas de ruidosidad: Conversación en voz baja, 40 dB; receptor de radio o televisión a todo volumen, 75 dB; arranque de un camión, 90 dB; moto con escape libre,115 dB y despegue de un avión, 125 dB.

El ruido puede incluso no ser considerado como peligroso sino tener un cierto valor de prestigio, como sucede en algunos lugares de ocio. En un concierto pop, por ejemplo, se miden niveles sonoros de 110 dB, tolerables no más de diez minutos sin sufrir daños.

De acuerdo con la organización ISO (International Standard Organisation) un nivel sonoro superior a 85 dB es peligroso para la salud en una exposición larga. La normativa de la Comunidad Europea estableció una disminución del valor permitido de 82 a 80 dB. Vid. Acústica, contaminación.

Ruido, Control del

Las medidas elementales para el control de ruido son:

1. Control de los focos de vibración: Se requiere elegir materiales flexibles para el conjunto o para las juntas y soportes, con objeto de limitar la vibración; o bien adoptar el uso de materiales rígidos pesados, de modo que la energía sonora no pueda hacerla vibrar. Otras alternativas son el uso de cubrimientos viscosos de fricción o el uso de materiales porosos que absorban la energía mecánica y sonora de forma que la superficie vibre poco.

2. El cercado del foco: El escape de los ruidos se impide mediante el cierre completo del foco de ruido. Los silenciadores controlan el escape del aire alterando la aerodinámica y también absorbiendo las vibraciones existentes.

3. Absorción después de la generación y la liberación: El comportamiento del ruido que ya se ha producido y que ha llegado hasta una habitación puede modificarse. La técnica de control se basa en una reducción del nivel de ruido mediante la mejora de las características de absorción de la sala. Los paneles absorbentes se han usado en las siempre ruidosas naves de los telares.

Sabana

Bioma de zona intertropical con una prolongada estación seca. Es la transición entre el bosque tropical y la zona seca. Pueden definirse tres áreas:

- Área húmeda con estrato arbustivo desarrollado.
- Área con árboles aislados y suelo alfombrado de gramíneas.
- Algunas acacias espinosas y árboles capaces de acumular agua.

Sal

Compuesto que al disociarse forma aniones de radical ácido y cationes metálicos; se obtiene a partir de un ácido y una base.

Salinidad

Es uno de los factores ambientales abióticos determinantes de la distribución de especies marinas. La salinidad es la concentración de sales minerales disueltas en el agua. Los aniones más frecuentes en el agua son Cl^-, NO^{-3}, $PO^{-3}{}_4$, $SO^{-2}{}_4$, y los cationes Na^+, K^+, Ca^{++}, Mg^{++}.

La masa marina tiene una salinidad media de 35 gr/l. La mayor o menor capacidad de las especies acuáticas de soportar la salinidad hace que éstas se distribuyan en dos grandes grupos: homeosmóticos y poiquilosmóticos.

Salinización

Proceso que tiende a aumentar la concentración en sales de un medio acuático. Ello provoca problemas en los seres que no estén adaptados a la regulación de salinidad (estenohalinos).

El proceso de desalinización se ha usado hasta ahora de forma esporádica, y se está pensando actualmente en el establecimiento de centrales desalinizadoras capaces de cubrir las necesidades de agua potable. El problema es que desalar el agua es diez veces más caro que transportarla a los lugares en que se necesita. La desalinización utiliza tanto la técnica de ósmosis (filtrado) como la de evaporación (destilación).

Salud y contaminación

Algunos productos contaminantes perjudican seriamente la salud. Estos son algunos ejemplos:

- Disminución en el espesor de la capa de ozono: Aumento del cáncer de piel, con mayor incidencia en los países con gran número de horas de sol y baja humedad ambiental, como España.
- Pesticidas: Se propagan a través de la cadena alimentaria y son bioacumulables, provocando alteraciones del sistema nervioso y en el equilibrio hormonal.

- Dioxinas: Son bioacumulables, permanecen en el tejido adiposo y producen descalcificación, malformaciones genéticas y daños al embrión humano.
- Amiantos: Son cancerígenos. El estroncio, que es inocuo en forma de isótopo estable, como isótopo radiactivo puede inducir la leucemia.
- Radiación generada en explosiones atómicas: Ocasiona directamente la muerte, produce mutaciones no controladas, y la incorporación de elementos radiactivos al protoplasma en sustitución de los elementos normales y químicamente análogos: Sr^{90} en lugar de calcio estable, Cs^{137} en lugar de potasio; otros son absorbidos físicamente por las superficies de los tejidos como el Zn^{65}.
- Contaminación por automóviles:
  1. Monóxido de carbono: Obstaculiza la capacidad de la sangre para absorber oxígeno.
  2. Plomo: Afecta a los sistemas circulatorio, reproductor, nervioso y urinario.
  3. Dióxido de nitrógeno: Incrementa la susceptibilidad a las infecciones virulentas e irrita el sistema pulmonar.
- Otros: El cloruro de vinilo del PVC afecta al sistema inmunológico; el tricloroetileno de pinturas, gomas y limpiadores de alfombras produce daños en el sistema nervioso; el metilcloroformo del líquido corrector y tintas provoca afecciones en corazón y sistema circulatorio; el percloroetileno de limpieza en seco y de metales afecta al hígado y riñones; el hexaclorobenceno de disolventes y fungicias, al metabolismo y al desarrollo.

Salvemos el planeta

Documento elaborado por el colectivo de ONG's españolas para seguir la aplicación de la Cumbre de Río. Aborda el problema de la convergencia Norte-Sur, aboga por la reducción de las emisiones de CO_2, prohibe la producción de CFC's para el 93, etc.

Saprofito

Heterótrofo que vive en materia orgánica descompuesta de la que se alimenta. Ej.: bacterias.

Sapropel

Es un depósito en el que abunda la materia orgánica procedente de la muerte y descomposición de una gran masa de organismos debido a alteraciones fuertes en el medio. Vid. Petróleo.

Sapróvoros

Microorganismos que se alimentan de la materia orgánica descompuesta.

Sedimentación

Es el depósito de todas las sustancias en solución procedentes de la erosión y su posterior transporte. El destino último de todos los materiales sedimentados es el océano.

Selección natural

Ley de la naturaleza que consiste en el proceso de diferenciación de las especies basada en la transmisión de caracteres hereditarios, dada la ventaja para la supervivencia que tienen dichos caracteres.
Se basa en tres principios:
1. Todo ser vivo procede de otro ser vivo que le ha transmitido sus caracteres.
2. Los individuos de una población son distintos.
3. Ciertos aspectos distintivos de un individuo poseen ventaja reproductiva.

Selva ecuatorial

Bioma terrestre situado 10° por encima y por debajo de la línea del ecuador. Se localiza en Sudamérica, África, Asia, Oceanía. Tiene un clima constante, una temperatura en torno a los 27 °C y 10 meses de lluvia anual que suponen un total de 2.000 a 4.000 mm./m².

Es una gran masa arbórea estratificada pero por no llegar el sol al suelo no se desarrollan los estratos inferiores, arbustivo y herbáceo. Ocupa el 7% de la superficie continental, pero dispone del 35% de la diversidad de plantas. Hay desde árboles de más de 40 metros de altura hasta plantas epifitas como helechos, orquídeas, musgos y líquenes, siendo la fauna absolutamente diversa.

Seprona

Servicio de Protección de la Naturaleza de la Guardia Civil creado en 1989.

Sere

Es la sucesión de comunidades en una determinada área. Una comunidad desaparece y en su lugar se establece otra comunidad distinta. A cada una de estas comunidades se la denomina etapa seral.

Seres vivos

Organismo con vida autónoma: bacterias (moneras), protoctistas, hongos, animales y plantas.

SGMA

Sistema de gestión medioambiental. Conjunto de técnicas destinadas a establecer y/o reparar el equilibrio ecológico roto por la actividad humana. Tiene una misión preventiva (prueba de ello son las Evaluaciones de Impacto Ambiental) y además correctiva (Auditorías Medioambientales).

Una gestión medioambiental adecuada debe tener en cuenta, para generar un crecimiento económico equilibrado, tres aspectos: El progreso tecnológico, los recursos naturales y la capacidad de absorción de todos los residuos generados en el proceso productivo.

La clave de un sistema de gestión medioambiental está en el objetivo de mejora continua.

Silicato

Sal de sílice unido a un metal. Es un mineral muy abundante.

Sílice

SiO_2, dióxido de silicio. En la naturaleza se encuentra en forma de cuarzo, arena, sílex o ágata.

Simbiosis

Es una relación biótica interespecífica, un tipo de mutualismo obligado. Ambas especies obtienen beneficios mutuos. Ej.: Bacterias fijadoras de nitrógeno y las leguminosas.

Sinecología

Parte de la ecología que tiene como objeto el estudio de las interrelaciones en los organismos que viven en un mismo ambiente.

Sistema

Conjunto de elementos bióticos y abióticos que se interrelacionan modificándose unos a otros.

Sistema de producción limpio

Según Greenpeace, un sistema de producción limpio es aquel que cumple estos requisitos:

1. No es tóxico.
2. No está contaminado con residuos químicos.
3. Es energéticamente eficiente.
4. Está fabricado con materiales renovables.
5. Es duradero y reutilizable.
6. Es fácil de desmontar, reparar y reconstruir.
8. Está empaquetado, mínima y apropiadamente, utilizando materiales reciclables.
9. Es diseñado para ser reintroducido en los sistemas de producción, o en la naturaleza una vez que se haya finalizado su vida útil.
10. No es lo mismo que sistema de gestión y tratamiento de residuos.

Sistema vital

Conjunto formado por el ambiente, organismos, y recursos necesarios para satisfacer las necesidades fisiológicas de la vida. Por eso en el ambiente vital intervienen no sólo los procesos naturales sino también las actividades organizadas por el hombre.

Smog

Término procedente de smoke y fog; es decir, mezcla de niebla y contaminación. Se comenzó a estudiar como fenómeno de alta perturbación atmosférica cuando en 1952 murieron por esta causa en Londres 4.000 personas en sólo 5 días.

Se produce cuando se mezcla la niebla con las grandes cantidades de contaminantes emitidos por la industria y por los usos domésticos durante períodos en los que las condiciones meteorológicas no ayudan a dispersar la contaminación. Se ve favorecido cuando predomina la situación anticiclónica en invierno.

El smog fotoquímico es una neblina producida por la luz al reaccionar con las materias en suspensión en la atmósfera y aumentando la densidad de los contaminantes.

Sobreexplotación

Es la ruptura del equilibrio de un sistema impidiéndole la regeneración. Suele darse:

a) En la agricultura intensiva que al exigir el uso masivo de pesticidas acaba por agotar el suelo, y desertificar el terreno.

b) Por la tala indiscriminada de bosques, lo que hace que quede la tierra sin sujeción y sometida a todos los procesos erosivos.

c) En la pesca, eludiendo las capturas con criterios biológicos y provocando la esquilmación de las pesquerías.

Dado que un ecosistema es un ámbito de equilibrios debe tenerse presente que el agotamiento de una determinada especie o sustrato provoca efectos de borde.

Sol

Emite energía continuamente de la que sólo llega a la Tierra un trillón de kw/h, lo que es una minúscula parte de toda la energía que desprende; pero aún así supone 10.000 veces el consumo mundial de energía. Se trata pues, de saberlo aprovechar bien.

España recibe una radiación solar media anual de 4 kilovatios hora por metro cuadrado; pero la distribución no es uniforme en toda la superficie ni a lo largo de todo el año. Por eso hay que ser cautos a la hora de intentar aprovechar esta energía. El aprovechamiento de la radiación solar comienza a utilizarse para producir energía solar termoeléctrica, fotovoltaica, etc.

Subdesarrollo

El sistema económico mundial se caracteriza por:

1. El predominio creciente de los países desarrollados sobre todas las estructuras de la economía mundial.

2. La creciente acumulación de tecnología y riqueza en muy pocas manos transnacionales.

3. La reciente aparición de núcleos de pobreza en las áreas industrializadas como consecuencia inmediata de las crisis producidas en el Estado de bienestar.

La explosión demográfica de los países subdesarrollados, su necesidad de vender las materias primas a precios establecidos por los países industrializados, las agriculturas de monocultivo y la falta de unidad política de estos países generan una dependencia económica hacia los países más desarrollados. La situación de su deuda externa impide que puedan invertir en su propio desarrollo.

Así se da una situación en la que, mientras países subdesarrollados presentan un consumo diario de 1.617 calorías por habitante y día, en los países desarrollados pasa de las 3.500 calorías. Los factores medioambientales impiden una producción de alimentos suficientes. Esto se traduce en que mientras un país rico tiene su renta per cápita entorno a los 17.000 dólares y su tasa de crecimiento en torno al 1,5%, los países pobres tienen una renta per cápita en torno a los 120 dólares y su crecimiento oscila entre -2% y 1%.

Frente a esta situación la solución está en un nuevo modelo de organización económica que no debe basarse sólo en el crecimiento económico, sino en un nuevo marco de relaciones jurídicas y políticas en el orden internacional.

El llamado Grupo de los 77 se organizó por los países en vías de desarrollo con la intención de participar en la Conferencia de la UNCTAD de los países industrializados con una estrategia común frente a ellos, homogeneizando las políticas comerciales de los países productores de materias primas y los países industriales.

Subproducto

Residuo producido por una industria que es posteriormente utilizado por otro tipo de industria como materia prima. Con la compra-venta de subproductos se ahorra en gestión de residuos y se reducen los vertederos, además de implementar industrialmente el concepto de reciclaje.

Subespecie

Unidad taxonómica para representar la subdivisión de la especie.

Sucesión

Conjunto de etapas o secuencias por las que va pasando un biotopo hasta alcanzar la complejidad y estabilidad máximas.

Sucesión ecológica

Proceso por el que, en una misma área, se pasa de un comunidad a otra hasta llegar a una comunidad estable llamada comunidad clímax (Vid.).

El ecosistema necesita para regenerarse (tras su extinción, incendio, etc.) un periodo de tiempo que varía: Campo raso, 1 mes; pradera, de1 a 2 años;

arbustos, de 3 a 20 años; bosque de pinos, de 25 a 100 años y bosque caducifolio más de 150 años.

Sucesión ecológica primaria

La que se inicia en un área en la que antes no existían organismos; es el caso de las regiones volcánicas de origen reciente.

Comienza con la aparición de plantas del tipo líquenes siendo la vida absolutamente difícil y lenta. La sucesión primaria se desarrolla a lo largo de muchos cientos de años. Las especies pioneras que inician la sucesión suelen ser plantas que exigen muy pocos nutrientes y lo suficientemente resistentes como para poder adaptarse a un suelo prácticamente inexistente y por tanto con casi nula retención de agua. La aparición de estas especies pioneras en el nuevo hábitat hace que vayan modificándose sus condiciones ambientales originándose, consecuentemente, nuevos nichos.

Esta situación gestante permitirá que el sistema se vaya haciendo paulatinamente más complejo, apareciendo nuevas especies, tanto vegetales como animales, hasta que el sistema alcance el clímax.

Sucesión ecológica secundaria

Se desarrolla en una zona en la que ya existían ciertas comunidades que, por un proceso regresivo, han perdido las principales especies. Suele ser más rápida y fácil que la primaria.

La comunidad final o clímax se perpetúa a sí misma en equilibrio con el hábitat físico y en ella no se produce, a diferencia de la comunidad en desarrollo, acumulación neta anual de materia orgánica porque la importación y producción están compensadas por el consumo y la exportación.

En un área determinada suele reconocerse de modo teórico un clímax climático en equilibrio con el clima general y un número variable de clímax edáficos modificados por condiciones locales del sustrato.

Es la comunidad teórica hacia la que tiende todo desarrollo en materia de sucesión en una región determinada y que se realiza allí donde las condiciones físicas del sustrato no son tan extremas que lleguen a modificar los efectos del clima regional dominante. Los límites espaciales de la sucesión vienen determinados por el interés del investigador.

Suelo

El más importante de los sustratos del medio aéreo. Es la superficie terrestre en su capa superficial y se forma por los restos de las rocas y los restos de los organismos vivos que se descomponen debido a la intemperie y a la actividad de los seres vivos.

La estructura de su perfil está formada por tres estratos denominados: horizonte A, B y C. Si aparecen los tres se habla de perfil o suelo maduro y si falta alguno de ellos se denomina suelo inmaduro.

La distribución mundial del suelo es la siguiente: Suelos del desierto –aridisoles–, 19,4%; suelos poco desarrollados -inceptisoles-, 15,8%; suelos forestales ligeramente meteorizados -alfisoles-, 14,7%; suelos recientes -entisoles-, 12,5%; suelos tropicales -oxisoles-, 9,2%; suelos de pradera -mollisoles-, 9,0%; suelos forestales altamente meteorizados –ultisoles–, 8,5%; suelos forestales desarrollados por coníferas –espodosoles–, 5,4%; suelos arcillosos –vertisoles–, 2,1%; suelos orgánicos –histosoles–, 0,8% y suelos mixtos, 2,3%.

Los alfisoles y mollisoles, que en conjunto suponen casi un 24% de la superficie edáfica, son los más aptos para la agricultura.

Suelo fértil

Aquel que es capaz de soportar una amplia cubierta vegetal, siendo la erosión su principal enemigo. Se calcula que en España se pierden unos 1.000 millones de toneladas de suelo fértil por esta causa.

Sulfato

Anión inorgánico derivado del ácido sulfúrico. Se utiliza industrialmente en vidriería, como pigmentos y como desinfectantes. En la agricultura se suelen usar los sulfatos de amonio y potasio como abonos y el sulfato de cobre - llamado caldo bordelés- para combatir enfermedades de ciertos vegetales.

Supervivencia, Curva de

La que se forma al representar gráficamente la relación entre las tasas de natalidad y de mortalidad en un ecosistema dado, teniendo en cuenta los grupos de edades de los individuos. Es variable de unas especies a otras.

Sustrato

Superficie sobre la que se fijan, apoyan o desplazan los organismos. Es muy variable: agua, suelo y otros seres vivos.

Tabaco

Desde tiempos remotos los indios americanos cultivaron el tabaco y lo utilizaron como planta medicinal, tóxica y mágica. El hábito del consumo de tabaco se extendió rápidamente por todos los países y no tardó en convertirse, como monopolio, en manantial de ingresos para los Estados.

De entre las sustancias presentes en el humo de los cigarrillos que actúan nocivamente sobre la salud caben destacar la nicotina, el monóxido de carbono, hidrocarburos aromáticos policíclicos y otras sustancias integrantes del llamado alquitrán y partículas de carbón. Hay que destacar el efecto contaminante del tabaco al ser consumido en lugares cerrados, por lo que su consumo ya ha sido regulado y legislado por muchos países. La producción mundial de tabaco es de unos 6,5 millones de toneladas.

Tamaño efectivo de una población

Número de individuos de una población que tienen capacidad reproductora.

Tanatocresis

Es una relación biótica interespecífica en la que una especie aprovecha los cadáveres, esqueletos, excrementos y restos en general de otra, para utilizarlos o protegerse con ellos. Ej.: Cangrejo ermitaño.

Tasa de crecimiento

Aumento o disminución del número de individuos de una población en una unidad de tiempo. Se denomina también potencial biótico o reproductivo. Si carece de límites de crecimiento éste es exponencial y en caso contrario sigmoidal, de acuerdo con las curvas que describen.

Tasa de emigración

Número de individuos que abandonan la población a la que pertenecen para ingresar en otras distintas. N (número de individuos de la población), e (número de inmigrantes por individuo y por unidad de tiempo). $Te = Nxe$.

Tasa de inmigración

Número de individuos que ingresan en una población procedentes de otras. N (número de individuos de la población), i (número de inmigrantes por individuo y por unidad de tiempo); $Ti = Nxi$.

Tasa de mortalidad

Número de individuos que mueren en una unidad de tiempo. Conviene distinguir entre mortalidad mínima y mortalidad real (teórica y ecológica).

Tasa de natalidad

Número de individuos que nacen en una unidad de tiempo. Conviene distinguir entre natalidad teórica y natalidad real (absoluta y ecológica).

Taxonomía

Ciencia que trata de clasificar. Los criterios taxonómicos son: reino, phylum, subphylum, clase, subclase, orden, familia, género, especie y nombre.

Tecnología

La tecnología es la respuesta que la inteligencia humana ha dado a sus necesidades modificando la naturaleza. El desarrollo tecnológico está basado en la idea de progreso y le permite al ser humano dominar la naturaleza por la aplicación práctica de unos conocimientos teóricos.

A la par que alivia el trabajo y lo hace más rentable, ha llegado a convertirse en un mito que se considera autosuficiente y se desarrolla por sí mismo. Si en un principio la tecnología fue absolutamente inocua con el medio, hoy -por el puro afán de progreso- se ha convertido en muchas ocasiones en su principal peligro.

La primitiva herramienta limpia que intermediaba entre el hombre y la naturaleza ha devenido una tecnocracia. Ejemplo evidente de ello es el peligroso desarrollo que está teniendo actualmente la biotecnología. Volviendo al principio, diremos que la respuesta ha olvidado la pregunta.

Respecto a la llamada tecnología no contaminante hay que decir que, aunque las inversiones se han triplicado en los últimos años y las partidas a ellos dedicadas suponen entre un 10 y un 20% de las inversiones totales, estos recursos no sólo se centran en la búsqueda de tecnologías limpias sino también en campañas de publicidad a veces "supuestamente" ecológica.

Temperatura

Variable termodinámica que caracteriza el estado térmico de un cuerpo y da origen a las sensaciones de caliente y frío. Es el indicativo del nivel de energía calorífica que tiene el cuerpo y de la capacidad de éste para transferirla.

La vida activa de los seres vivos se desarrolla entre unos límites de temperatura, sobrepasados los cuales se produce la congelación o la desnaturalización proteínica. Por ello la termorregulación (variable de unos seres vivos a otros) es fundamental para la vida de los animales, siendo los límites superiores más peligrosos que los inferiores.

Suelen estos desarrollar mecanismos como vasoconstricción o vasodilatación, disminución de superficie expuesta, desarrollo de tegumentos, generación y acumulación de grasas, aceleración del metabolismo, sudoración, etc. Los fenómenos de hibernación y estivación son propios de los procesos termorreguladores. Debe considerarse la temperatura como un factor limitante (Vid.).

Termófilo

Microorganismo cuya vida se desarrolla entre los 40 y 70 °C. Suelen vivir en fuentes termales, llegando algunos a vivir en ambientes de hasta 200 °C. Tienen interés para su uso en la fermentación de sustratos de lignocelulosa y en la producción de enzimas termoestables en usos industriales.

Termosfera

Se extiende desde los 80 kilómetros hasta una altura aproximadamente de 600. Su densidad es extraordinariamente baja y la temperatura aumenta en el extremo superior hasta los 2.000 °C. Contiene capas de aire ionizado que constituyen la ionosfera.

Territorialidad

Es una relación biótica intraespecífica que surge de la tendencia que tienen los individuos a ocupar un espacio concreto y rechazar a posibles advenedizos en función de la búsqueda de alimento y áreas de refugio y reproducción. Ej.: Leones.

Tierra

Nuestro planeta tiene 6.380 km. de radio, y su interior se distribuye según las siguientes zonas:

1. Núcleo: 3.500 km de radio, contiene níquel y hierro.
2. Zona palasítica: 600 km de espesor, contiene níquel y hierro.
3. Zona ferrospórica: 700 km de espesor, hierro, níquel y otros.
4. Zona peridotídica: 1.500 km de espesor, silicatos de hierro, calcio y magnesio.
5. Corteza o litosfera: de 30 a 60 km. La capa inferior se llama sima –contiene silicato de magnesio– y sobre ella flota el sial –contiene silicatos de aluminio–.

Tigmotropismo

Cambio que se produce en el crecimiento de organismos vegetales a consecuencia de la estimulación provocada por la presencia de un objeto sólido. Ej.: Zarcillo trepador.

Tinta de imprenta

Tiene dos componentes fundamentales: Un pigmento que proporciona el color y un vehículo fluido. Los pigmentos suelen ser minerales en polvo. Hay variaciones según sea para impresión en papel de periódico, papel satinado o papel couché. Hay tintas en las que los colorantes se hacen con anilinas; pero otras utilizan partículas metálicas, como las llamadas tintas de bronce. Y los desechos son siempre peligrosos.

TNP

Tratado de No Proliferación Nuclear. En vigor desde 1970, fue convertido en tratado permanente en 1995, y su objetivo es evitar la guerra nuclear, reduciendo la energía nuclear a usos civiles. Los países firmantes se comprometen a la no transferencia de tecnología nuclear, y a aceptar las garantías dictadas por la Agencia Internacional para la Energía Atómica para el uso pacífico. Define como Estado nuclear a aquel que haya hecho estallar un arma nuclear antes de 1967.

Lamentablemente el artículo diez del tratado reconoce el derecho a retirarse del mismo. Vid. Pruebas nucleares.

El Tratado de Prohibición de Pruebas Nucleares, firmado en 1963, prohibía los ensayos nucleares en la atmósfera.

TRAFFIC

Banco de Análisis del Comercio de Especies Amenazadas de Fauna y Flora. Es una red de la UICN y el WWF que, a través del estudio de los puntos fundamentales del comercio de vida salvaje, vigila a éste.

Transporte, Uso del

Hay más de 500 millones de coches circulando por la superficie de la Tierra que provocan el lanzamiento a la atmósfera de 15 billones de metros cúbicos de gases contaminantes.

El problema que actualmente se está tratando, aparte de otros, es el alto contenido en plomo para evitar la detonación de algunas gasolinas utilizadas en el tansporte. Es muy contaminante y será necesario que se desarrollen nuevas tecnologías para evitar las detonaciones de la gasolina sin plomo.

La solución son los transportes públicos para evitar el uso inadecuado del coche, francamente abusivo. La densidad de tráfico provoca paradas continuas y consiguientemente mayor quema de combustible.

La ciudad está considerada como lugar de expansión y dominio del automóvil. Los límites de la influencia del hombre sobre la ciudad se determinan por el radio máximo de sus movimientos: Locomoción humana, 5 millas; y medios mecánicos, 20 o más millas.

Este medio de transporte exige un cierto tipo de superficie que incide en varios centenares de metros a su alrededor.

Tratado de educación ambiental

Río de Janeiro, 1992. Considera que la educación ambiental para una sociedad sostenible y equitativa es un proceso de aprendizaje permanente, basado en el respeto a todas las formas de vida. Tal educación afirma valores y acciones que contribuyen a la transformación humana y social con el fin de conseguir la preservación ecológica.

También la educación ambiental estimula la formación de sociedades socialmente justas y ecológicamente equilibradas, que establecen relaciones entre sí de interdependencia y diversidad. Esto requiere responsabilidad individual y colectiva a nivel local, nacional y planetario. La educación ambiental propugna cambios en la calidad de vida y en las conductas personales, así como armonía entre los seres humanos y de estos con otras formas de vida.

Trófico

Alimentario.

Tropismo

Cambio que se produce en el crecimiento de organismos vegetales a consecuencia de la estimulación provocada por agentes externos. Su velocidad es variable. *Fototropismo*: Causado por la luz. *Geotropismo*: Como respuesta a la acción del campo gravitatorio. *Quimiotropismo*: Como respuesta a las sustancias químicas. *Hidrotropismo:* Respuesta a la presencia del agua. *Tigmotropismo:* Respuesta a la presencia de un objeto sólido.

Tropógena, Capa

Estrato traslúcido último del agua en el que puede tener lugar la fotosíntesis. Su límite inferior señala el final de productividad.

Troposfera

Parte inferior de la atmósfera, de espesor variable, que comprende aproximadamente los 10 primeros kilómetros (8 km en los polos y 17 km en el Ecuador). En la troposfera la temperatura diminuye conforme aumenta la altitud. Acumula más del 80% de la masa atmosférica y virtualmente todo el vapor de agua, nubes y precipitación en la atmósfera terrestre.

En ella tienen lugar los fenómenos meteorológicos y la vida. La zona de transición a la siguiente capa, la estratosfera, se denomina tropopausa.

Tundra

Bioma de las áreas situadas por encima de los 70° de latitud, circundante el océano Ártico. La temperatura oscila entre 10° C y -18° C y la precipitación anual es inferior a 250 cc/m^2.

En invierno se cubre de nieve y hielo y el subsuelo, que nunca llega a deshelarse, tiene un grosor de 300 m y se denomina permafrost. No existe la meteorización química sino la fragmentación por rotura mecánica. La flora autóctona se compone de gramíneas, juncos, líquenes y pequeños árboles y la vida animal está poco diversificada: Leming, liebre ártica y zorro ártico, perdiz blanca, búho nival, caribús y aves acuáticas.

Es un ecosistema débil.

Turba

Un tipo de carbón de aspecto esponjoso; es material vegetal parcialmente descompuesto, utilizable como combustible. De un modo genérico suele denominarse turba cualquier suelo ácido altamente orgánico y es frecuente en terrenos pantanosos. Por digestión anaerobia puede producir gas.

Turismo

Los principales ataques al medio ambiente producidos por el turismo vienen dados por la contaminación, urbanizaciones, actividades deportivas y de recreo, y la presión turística en espacios protegidos.

El turismo masivo e indiscriminado genera una conformación urbana de los espacios no urbanos. El PNUMA ya ha advertido que el turismo masivo y no planificado provoca cambios ambientales irreversibles, dada la urgencia en la construcción de instalaciones de servicios para el turista; lo que genera especulación del terreno.

En España, dada la gran extensión de sus costas es el turismo costero uno de los principales problemas. Las consecuencias de la masificación turística son ya conocidas: Contaminación de aguas –química y biológica–, urbanización incontrolada, problemas generados por los puertos deportivos, creación de playas artificiales y, en general, deterioro del paisaje por las infraestructuras exigidas.

Por lo que respecta al turismo masificado en los parques naturales, una de las medidas que se prevén es limitar el número de visitantes.

UICN

Unión Internacional para la Conservación de la Naturaleza. Tiene como objetivo generar acciones que preserven el medio ambiente, mediante el control, asesoramiento y planificación estratégica.

Ultravioleta

Vid. Radiación ultravioleta.

UNCED

Conferencia de Naciones Unidas para el Medio Ambiente y Desarrollo.

UNCOD

Conferencia de las Naciones Unidas sobre Desertización que tuvo lugar en Nairobi el año 1977 con el fin de establecer el plan de acción para combatir la desertización.

UNCTAD

Conferencia de las Naciones Unidas sobre Comercio y Desarrollo. Trata de establecer el diálogo Norte-Sur para propiciar un nuevo orden económico en las relaciones internacionales, de modo que se evite dicha dicotomía.

UNEP

(United Nations Environment Program). Programa de Naciones Unidas para el Medio Ambiente. (PNUMA).

UNESCO

Organización de las Naciones Unidas para la Educación, la Ciencia y la Cultura.

UNFPA

Fondo de las Naciones Unidas para la Población.

Urbanismo

La dinámica de la comunidad moderna es la causa de lo difuso de sus límites. Todo cambio relativo en el tiempo y coste de transporte y toda alteración relativa en las condiciones de mercado tienen repercusiones inmediatas en la expansión o concentración de los límites de la comunidad y, consecuentemente, en el impacto ambiental.

Una de las características que se ha producido en el urbanismo es el tránsito del valor de uso otorgado mayoritariamente a la tierra en el pasado, frente al actual valor de cambio.

Un modelo de urbanismo progresista en las sociedades postindustriales debe tener en cuenta las siguientes consideraciones:

1. Habitar ya no significa dejar una huella de nuestra vida en el paisaje, sino inscribirse en el censo de consumidores de alojamiento.
2. El problema de la segunda residencia implica la transformación urbanoide de campo, monte y playa.

3. El problema del turismo de masas.

4. Saqueo del litoral.

Es un hecho el proceso de crecimiento indiscriminado y abusivo de las ciudades, en conurbaciones generadoras de alto impacto ambiental: Contaminación atmosférica, transformación de la ciudad en un ámbito para el automóvil, generación de ruidos, vertidos y residuos urbanos.

La Cumbre de Río consideró prioritarias respecto al urbanismo, las siguientes propuestas:

1. Extender los servicios básicos a todos los ciudadanos, sin aumentar la degradación ambiental.

2. Reducir la contaminación atmosférica en los núcleos urbanos.

3. Lucha contra las discriminaciones de todo tipo.

4. Integrar el desarrollo económico en la planificación ambiental.

5. Promover la cooperación entre núcleos urbanos.

6. Comprometer a todos los sectores sociales en la gestión ambiental.

7. Alcanzar mayor eficacia en los recursos energéticos.

8. Priorizar la salud y la educación.

9. Aprovechamiento máximo de los recursos disponibles.

Variación de una población en el ecosistema

Si tenemos en cuenta las tasas de emigración, inmigración, mortalidad y natalidad, la variación de una población en un ecosistema se expresa con la fórmula:

$\delta N/\delta t = P-M+i-e$. (Donde: δN= variación del número de individuos de la población; δt=intervalo de tiempo; e=tasa de emigración; P=tasa de natalidad; i=tasa de inmigración; M=tasa de mortalidad.)

Vegetales

El reino vegetal desde Linneo se divide en dos grandes grupos: Criptógamas, sin flores o con los órganos reproductores ocultos y fanerógamas, que tienen flores. El grupo de las criptógamas dispone de los siguientes tipos: Protofitas (bacterias y cianofíceas), talofitas (hongos, algas y líquenes), briofitas (hepáticas y musgos) y pteridofitas (filicíneas, equisetíneas y licopodíneas).

Las fanerógamas se concretan en el tipo espermafitas con dos subtipos: Gimnospermas (pino, abeto, ciprés, roble, abedul, avellano, enebro, etc.) y angiospermas (patata, tomate, maíz, tabaco, arroz, trigo, cebada, etc.).

Vertedero

Un vertedero es cualquier paraje en el que se depositan desechos. Si es controlado, estos desechos se cubren con capas de tierra y se compactan periódicamente. Los problemas que crea son: Fuerte olor, rotura del paisaje, productos lixiviados, que acarrean el peligro correspondiente si no se procede a una impermeabilización del suelo e incendios.

En España hay 4.500 puntos negros; un 25% de estos se encuentran a pocos metros de un casco urbano. Controlados sólo hay 121, y sólo la mitad de estos cumple normativas de la Unión Europea.

Una solución sería la autocombustión controlada (pequeño horno que quema basura casi sin humo y sin olor) que reduce gastos de transporte y recupera energía para calefacción. Es un modelo de descentralización más limpio y se ahorra 1/3 del gasto de transporte de basuras. Los lodos resultantes son empaquetados y almacenados en depósitos de seguridad.

Hay que señalar que si se llegan a construir en España las previstas 21 incineradoras de residuos de acuerdo con el Plan de Energías Renovables, nos convertiríamos en el "vertedero de Europa".

Vertido

Lanzamiento indiscriminado de agua residual que provoca el aumento de sólidos en suspensión en las aguas naturales.

Su punto de destino último es el mar, en el que casi todo se disuelve "aparentemente" pero nada desaparece. Todos estos contaminantes van al mar a través de los ríos, de la atmósfera o de embarcaciones. Desde tierra los vertidos llevan al mar materia orgánica, fosfatos y nitratos. Estos vertidos provocan la ruptura del sistema de reciclaje natural de la flora marina, con la consecuente repercusión en la fauna, a través de un proceso de eutrofización, proliferación de algas, disminución del oxígeno y elevación de la tasa de mortalidad.

Por lo que se refiere a los vertidos industriales hay que señalar el amplio abanico de contaminantes que aportan al mar: cloro, amoníaco, anhídridos, sulfatos, sulfuros, sulfocianuros, fósforo, cloruros, hipocloritos, ácidos, alcoholes, sales metálicas, hidratos, metales pesados (zinc, cobre, mercurio, plata, níquel, plomo, cadmio, cromo, manganeso, etc.), polvos inertes, compuestos organoclorados (plaguicidas, policlorobifenilos), etc.

Desde el mismo mar se producen vertidos de hidrocarburos derivados del petróleo: Bien accidentalmente, por colisión o naufragio de petroleros (sólo supone el 6% del total), bien por fugas naturales de hidrocarburos de los fondos marinos (10% del total); correspondiendo el 84% restante a los desechos arrojados al mar en puertos, operaciones de carga y descarga de crudo, lavado de cisternas de transportes petroleros y perforaciones de pozos submarinos. La densidad de los hidrocarburos hace que se reflejen los rayos del sol, se dificulte la evaporación del agua, y provoque envenenamiento y disminución de la producción planctónica.

Mención aparte merecen los vertidos radiactivos procedentes de explosiones atómicas o de residuos de industrias nucleares.

Vías pecuarias
Vid. Cañadas ganaderas.

Vidrio
Sustancia obtenida a partir de sílice con sosa o potasa, que funde a elevada temperatura. Es perfectamente reciclable.

Una tonelada de vidrio reciclado ahorra 1.200 kg. de materias primas (arena, sosa, cal), 130 kg de petróleo y 1.000 kg de desperdicios.

En España se reciclan unas 250.000 Tm. de vidrio industrial, y 100.000 de vidrio doméstico, pero todo ello es un mínimo porcentaje del total del vidrio consumido.

Viento
Movimiento horizontal del aire producido por la diferencia de presión entre dos puntos de un área. Si un punto del área es más caliente que los circundantes, el aire en ese punto se calienta y expande. Al elevarse genera tras sí una zona de baja presión, a la que afluye el aire frío de los puntos próximos de alta presión. El flujo que se produce en dirección a la zona más caliente a baja altitud está balanceado con el flujo en expansión del aire que asciende. Cuando éste se enfríe bajará para reemplazar al aire que entra.

La fuerza del viento será mayor cuanto más elevado sea el gradiente de presión. Su velocidad se expresa en m/s, km/h, nudos o grados.

La velocidad de las partículas que componen la corriente del aire ejerce una determinada presión sobre los cuerpos. En 1805 Beaufort estableció la siguiente escala de vientos:

Grado 0: calma, menos de 1 nudo.
Grado 1: ventolina, de 1 a 3 nudos.
Grado 2: flojito, brisa muy débil, 4 a 6 nudos.
Grado 3: flojo, brisa débil, 7 a 10 nudos.
Grado 4: bonancible, brisa moderada, 11 a 16 nudos.
Grado 5: fresquito, brisa fresca, 17 a 21 nudos.
Grado 6: fresco, brisa fuerte, 22 a 27 nudos.
Grado 7: frescachón, viento fuerte, 28 a 33 nudos.

Grado 8: temporal, viento duro, 34 a 40 nudos.

Grado 9: temporal fuerte, viento muy duro, 41 a 47 nudos.

Grado 10: temporal duro, temporal, 48 a 55 nudos.

Grado 11: temporal muy duro, borrasca, 56 a 63 nudos.

Grado 12: temporal huracanado, huracán, 64 a 71 nudos.

Vigía 2.000

Sistema establecido por la Dirección General de Conservación de la Naturaleza (antiguo ICONA) para la detección de incendios forestales. Es un equipo formado por una torreta con cabeza giratoria que contiene dos cámaras (una de vídeo y otra de rayos infrarrojos), una cabina con los equipos de control y comunicaciones, una antena para comunicaciones con el satélite Hispasat y un sistema de alimentación autónomo. Las cámaras giran permanentemente cubriendo áreas de 20 km de radio.

Volcán

Manifestación violenta del dinamismo interno de la Tierra, que arroja dos tipos de productos:

Sólidos: Lavas fraccionadas y enfriadas (cenizas, lapilli y bombas volcánicas) y gaseosos, que proceden del magma y son fundamentalmente vapor de agua, dióxido de azufre, dióxido de carbono, hidrógeno, nitrógeno, azufre y cloro.

A medida que se va enfriando el volcán y cede su actividad cesa la emisión de lava que es sustituida por gases (fumarolas) -solfataras, muy ricas en azufre, y mofetas, formadas por CO_2- y aguas calientes (géiseres).

Los volcanes son, por tanto, también responsables de la emisión de aerosoles a la atmósfera. En un año el volcán Etna contamina el medio ambiente mundial más que, por ejemplo, todas las centrales térmicas de Alemania juntas.

La concentración de polvo volcánico en las capas altas provocado por el Pinatubo aún es alta y debilita la densidad de la capa de ozono. Se calcula aún en 5 años el tiempo necesario para que desaparezca ese polvo.

Waldsterben

Término alemán habitualmente acepta-
do para indicar la muerte del bosque.
Este fenómeno de bosques muertos o
enfermos suele ir acompañado de factores tales como viento, nieve, heladas
y hongos, y puede ser debido a contaminantes aéreos. Es un dato cierto que
suele darse con más frecuencia en los
bosques de coníferas en las pendientes
más altas de cara a los vientos domi-
nantes y frecuentemente cubiertos por
nubes o nieblas. Se insinúa como causa
fundamental la lluvia ácida.

WCI

Comisión Internacional de la Pesca de la
Ballena. Surge en el año 1946 con la
intención de proteger las especies de
ballenas frente a la sobreexplotación
estableciendo cuotas de caza. Pero esta
Comisión no consiguió la prohibición de
matar las yubartas (ballena de unos 15 m
de longitud y color negro) y la creación
de un santuario en el Antártico.

WWF

Fondo para la Conservación de la Vida
Salvaje. Su delegación en España se
denomina ADENA. Tiene como objetivo
la preservación de la diversidad genética, de las especies y de los ecosistemas.

Xerofita

Planta adaptada al clima desértico. Dispone de capacidad para evitar la pérdida del agua: paredes gruesas, pocos estomas, hojas a veces reducidas a espinas, tallo esponjoso y sus raíces son amplias y largas para captar toda la humedad posible. Ej.: Cactus.

Xiloenergética

También denominada agroenergética, es el cultivo de biomasa con finalidades energéticas.

La xiloenergética exige al cultivo la condición de generar un balance ecológico favorable. Las especies xiloenergéticas más apropiadas son las herbáceas y leñosas, aunque no se descartan, en modo alguno, los cultivos agrícolas tradicionales.

Como exigencias para que el balance ecológico sea positivo, se apuntan las siguientes: Producción a través de cepa, fertilidad notable y capacidad de acumular gran cantidad de energía por unidad de peso seco.

Yacimientos minerales

Es el nombre que reciben las masas minerales concentradas en una determinada área y en las que el elemento fundamental -que le otorga denominación- se halla en una proporción notable.

El depósito de los yacimientos minerales se forma muy lentamente a lo largo de procesos muy diversos: Diseminados en rocas ígneas, depositados por diferenciación de densidades magmáticas, en zonas de acreción o volcánicas. En otras ocasiones son los procesos metamórficos, las alteraciones o los procesos sedimentarios los que dan lugar a los yacimientos.

Yacimientos salinos

Lugar en el que se han depositado minerales salinos por evaporación propia de climas cálidos. Son de tres tipos:
a) Potásicos (yeso, anhidrita, sal gema, silvina, carnalita).
b) Yacimientos de boratos (bórax, kermita y boracita).
c) Yacimientos de nitratos (nitro).

ZEPA

Zona de Especial Protección para las Aves. Está amparada por la Directiva CEE/409/79 y en España hay 138 áreas de este tipo.

Zona afótica del agua

Zona de agua situada bajo la zona afótica a la que no llega luz solar. Consecuente-mente carece de seres vivos fotosintéticos.

Zona climática

Cada una de las divisiones de la Tierra desde el punto de vista de su climatología. La zonación puede elaborarse atendiendo a la inclinación de los rayos solares. Y así se puede distinguir una zona tórrida entre los trópicos -23° 27' al N y S-, dos zonas templadas entre los trópicos y los círculos polares -63° 33'- y las zonas glaciales ártica y antártica.

Zona fótica del agua

Es la zona superficial del agua que recibe iluminación solar. Su límite de profundidad máximo se calcula en unos 200 m.

Zooplancton

Conjunto de animales acuáticos, mayoritariamente microscópicos, que se renueva constantemente. Algunos de estos individuos del zooplancton son huevos o larvas, que posteriormente se convertirán en nadadores.

Dado que son poco aptos para desplazarse horizontalmente sus movimientos son ascendentes o descendentes, o bien flotan a un determinado nivel. Suelen ser transparentes o translúcidos, lo que les permite protegerse en este medio frente a sus predadores.

Ej: Foraminíferos, protozoos, celentéreos, crustáceos.

ADDENDA

Reseña legislativa

1. LEGISLACIÓN GENERAL

1.1. ACTIVIDADES MOLESTAS, INSALUBRES, NOCIVAS Y PELIGROSAS

    1.1.1. Decreto 2414/61, de 30/11/61. Reglamento de actividades molestas, insalubres, nocivas y peligrosas.

    1.1.2. Orden de 15/3/63. Instrucción por la que se dictan normas para la aplicación del Decreto 2.414/61.

1.2. NORMAS SOBRE ACCIDENTES Y SEGURIDAD EN LAS INSTALACIONES

    1.2.1. Directiva 82/501/CEE, sobre riesgos de accidentes graves en actividades industriales. (D.O.C.E. L nº 230, 5/8/82)

    1.2.2. R. D. 886/88, de 15/7/88, sobre prevención de accidentes mayores.

1.3 IMPACTO AMBIENTAL

    1.3.1. Directiva 85/337/CEE, sobre evaluación de las repercusiones de determinados proyectos sobre medio ambiente (D.O.C.E. L nº 175, 5/8/85).

    1.3.2. R. D. 1302/86, de 28/6/86, sobre Evaluación de Impacto Ambiental.

1.4. INFORMACIÓN AMBIENTAL

    1.4.1. Directiva 90/313/CEE, sobre libertad de acceso a la información, referida a medio ambiente. (D.O.C.E. L nº 158, 23/6/90).

    1.4.2. Reglamento 880/92/CEE, de 23/3/92, sobre sistema comunitario para la concesión de la etiqueta ecológica. (D.O.C.E. L nº 99, 11/4/92).

    1.4.3. Resolución 93/C 138/01, sobre programas comunitarios de política y actuaciones en materias de medio ambiente. (D.O.C.E. C nº 138, 17/5/93)

    1.4.4. Reglamento 1836/93/CEE del Consejo, de 29 /6/93, sobre adhesión voluntaria del sector industrial al sistema comunitario de gestión de auditorías medioambientales. (D.O.C.E. L nº 168, 10/7/93).

    1.4.5. Decisión 93/517, referente a las condiciones de utilización de la etiqueta ecológica comunitaria. (D.O.C.E. L nº 243, 29/9/93)

    1.4.6. Decisión 93/701/CEE, de 7/12/93, sobre creación de un Foro Consultivo general en materia de medio ambiente. (D.O.C.E. L nº 328, 29/12/93)

    1.4.7. Decisión 94/10, sobre la concesión de etiqueta ecológica comunitaria. (D.O.C.E. L nº 7, 11/1/94)

1.4.8.   R. D. 224/94, de 14/2/94, sobre creación del Consejo Asesor de medio ambiente.
1.4.9.   R. D. 598/94, de 8/4/94, estableciendo normas sobre etiqueta ecológica en aplicación del reglamento C E E nº 880/92.

1.5. ESPACIOS NATURALES

1.5.1.   R. D. 2676/77, de 4/3/77, sobre espacios naturales protegidos.

1.6. ACTIVIDADES MINERAS

1.6.1.   R. D. 2994/82, de 15/10/82, sobre restauración de espacios naturales afectados por actividades mineras.
1.6.2.   R. D. 1116/84, de 9/5/84, referente a explotaciones a cielo abierto.

2. AGUA

2.1. GENERAL

2.1.1.   R. D. 650/87, de 8/5/87, definiendo ámbitos territoriales de los organismos de cuenca.
2.1.2.   R. D. 134/94, de 4/2/94, sobre gestión de recursos hidráulicos.
2.1.3.   R. D. 1/95 de 10/2/95, sobre medidas de carácter urgente en materia de abastecimientos hidráulicos.

2.2 NIVEL DE CALIDAD DEL AGUA

2.2.1.   Directiva 75/440/CEE, referente a la calidad de aguas superficiales para el consumo. (D.O.C.E. L nº 194, 25/7/75).
2.2.2.   Directiva 76/160/CEE, sobre calidad de las aguas de baño. (D.O.C.E. L nº 31, 5/2/76).
2.2.3.   Directiva 78/659/CEE, sobre protección y mejora de aguas continentales aptas para la vida de los peces. (D.O.C.E. L nº 222, 14/8/78).
2.2.4.   Directiva 79/869/CEE, relativa a muestreos de aguas superficiales. (D.O.C.E. L nº 271, 29/10/79).
2.2.5.   Directiva 79/923/CEE, sobre calidad de agua para la cría de moluscos. (D.O.C.E. L nº 281, 10/11/79).
2.2.6.   Directiva 80/68/CEE, sobre protección de aguas subterráneas contra contaminación por sustancias peligrosas. (D.O.C.E. L nº 20, 26/1/80).
2.2.7.   Directiva 80/778/CEE, relativa a la calidad de aguas para consumo humano. (D.O.C.E. L nº 229, 30/8/80)
2.2.8.   Orden de 27/07/83, sobre análisis de aguas potables para consumo público.
2.2.9.   Ley 29/85, de 2/8/85, de aguas.
2.2.10. R. D. 849/86 de 11/4/86, sobre reglamento del dominio público hidráulico.
2.2.11. Reglamento 3094/86 del Consejo de 7/10/86, sobre conservación de recursos pesqueros.
2.2.12. Orden de 1/7/87, sobre métodos oficiales de análisis de aguas potables.
2.2.13. R. D. 734/88, de 1/7/88, estableciendo normas de calidad de aguas de baño.
2.2.14. Ley 22/88, de 28/7/88, de costas.
2.2.15. R. D. 927/88, de 29/7/88, sobre reglamento de la Administración pública del agua y planificación hidrológica.
2.2.16. R. D. 1471/89, de 1/12/89, aprobando el reglamento general de la Ley de costas.
2.2.17. R. D. 1138/90, de 14/9/90, sobre reglamentación técnico-sanitaria de aguas potables.
2.2.18. R. D. 308/93, de 26/2/93, sobre normas sanitarias para la comercialización de moluscos bivalvos vivos.
2.2.19. R. D. 345/ 93, de 5/3/93, sobre normas de calidad de las aguas y producción de moluscos e invertebrados marinos.

2.3. VERTIDOS DE AGUAS RESIDUALES

2.3.1. Convenio de París sobre prevención de la contaminación marina de origen terrestre 4/6/74.
2.3.2. Convenio internacional sobre protección del Mediterráneo por contaminación de origen terrestre. Barcelona 16/2/76
2.3.3. Directiva 76/464/CEE, sobre contaminación por vertido en el agua de sustancias peligrosas. (D.O.C.E. L nº 129, 18/5/76)
2.3.4. Directiva 82/176/CEE, sobre vertidos de mercurio. (D.O.C.E. L nº 81, 27/3/82).
2.3.5. Directiva 82/403/CEE, sobre presencia de detergentes en las aguas. (D.O.C.E. L nº 109, 22/4/82)
2.3.6. Directiva 84/156/CEE, sobre vertidos de mercurio. (D.O.C.E. L nº 74, 17/3/84).
2.3.7. Directiva 84/491/CEE, sobre vertidos de hexaclorociclohexano. (D.O.C.E. L nº 274, 17/10/84).
2.3.8. Directiva 83/513/CEE, sobre vertidos de cadmio. (D.O.C.E. L nº 291, 24/10/85)
2.3.9. Directiva 86/280/CEE, sobre residuos de sustancias peligrosas. (D.O.C.E. L nº 181, 4/7/86).
2.3.10. Directiva 91/217/CEE, de 21/5/91, sobre tratamiento de aguas residuales urbanas. (D.O.C.E. L nº 135, 30/5/91)
2.3.11. Orden de 5/9/85, referente a la biodegradabilidad de agentes tensoactivos.
2.3.12. Orden de 23/12/86, sobre autorizaciones de vertidos a redes municipales.
2.3.13. Orden de 12/11/87, sobre control de mercurio, cadmio, hexaclorociclohexano, tetracloruro de carbono, diclorodifeniltricloroetano y pentaclorofenol.
2.3.14. R. D. 258/89, de 10/3/89, sobre vertidos de sustancias peligrosas de tierra a mar.
2.3.15. Orden de 13/3/89, sobre vertidos de aldrín, dieldrín, endrín, isodrín, hexaclorobenceno, hexaclorobutadieno y cloroformo.
2.3.16. Orden de 28/7/89, sobre vertidos en aguas marinas de dióxido de titanio.
2.3.17. Orden de 31/10/89, regulando emisión, calidad y control en aguas marinas.
2.3.18. Orden de 19/12/89, sobre la carga contaminante del canon de vertido de aguas residuales.
2.3.19. Orden de 18/4/91, sobre reducción de contaminación en aguas marinas por residuos de dióxido de titanio.
2.3.20. Orden de 28/6/91, sobre vertidos de dicloroetano, tricloroetileno, percloroetileno y triclorobenceno.
2.3.21. Orden de 25/5/92, sobre sustancias nocivas y peligrosas en aguas residuales.
2.3.22. Orden de 28/10/92, sobre vertidos al mar.
2.3.23. Orden de 13/7/93, sobre emisarios marinos.

2.4 AGUAS MARINAS

2.4.1. Orden de 26/3/85, regulando el transporte de hidrocarburos.
2.4.2. Ley 22/88, de 28/7/88, de costas.
2.4.3. R. D. 734/88, de 1/7/88, sobre calidad de aguas de baño.
2.4.4. Orden de 17/4/91, sobre fondeo de buques-tanque.
2.4.5. R. D. 345/93, de 5/3/93 sobre calidad de aguas y producción de moluscos y otros invertebrados.

3. ATMÓSFERA

3.1. INSTALACIONES INDUSTRIALES

3.1.1. Directiva 84/360/CEE, sobre contaminación atmosférica procedente de instalaciones industriales. (D.O.C.E. L nº 188, 16/7/84).

3.1.2. Directiva 86/609/CEE, limitando emisiones a la atmósfera de ciertos agentes contaminantes procedentes de instalaciones de combustión. (D.O.C.E. L n° 336, 7/12/88).

3.1.3. Directiva 89/369/CEE, sobre prevención de contaminación atmosférica procedente de nuevas instalaciones de incineración de residuos municipales. (D.O.C.E. L n° 163, 14/6/89).

3.1.4. Directiva 89/429/CEE, sobre reducción de contaminación atmosférica procedente de instalaciones ya existentes de incineración de residuos municipales. (D.O.C.E. L n° 203, 15/7/89).

3.1.5. Orden de 22/3/90, sobre humo normalizado.

3.1.6. R. D. 646/91, de 22/4/90, relativo a la limitación de emisiones a la atmósfera de ciertos agentes contaminantes procedentes de grandes instalaciones.

3.1.7. R. D. 1088/92, de 11/9/92, limitando emisiones de agentes contaminantes procedentes de incineración de residuos municipales.

3.2. INMISIONES

3.2.1. Ley 38/72, de 22/12/72 relativa a la protección de la contaminación atmosférica.

3.2.2. R. D. 833/75 desarrollando la ley 38/72.

3.2.3. Orden de 18 /10/76, referida a prevención y corrección de contaminación industrial.

3.2.4. Orden de 10/8/76, relativa a determinación y valoración de contaminantes.

3.2.5. O. M. 25/6/84 relativa a creación de una red de vigilancia automática.

3.2.6. R. D. 1613/85, de 1/8/85, dictando normas sobre calidad de aire y contaminación por dióxido de azufre y otras partículas.

3.2.7. Convenio de Ginebra 13/11/79 sobre contaminación atmosférica transfronteriza de largo alcance (ratificación en B.O.E. 19/2/88).

3.2.8. Convenio de Nueva York sobre cambio climático de 9/5/92 (ratificación en B.O.E. 1/2/94).

3.3. EMISIONES

3.3.1. Directiva 80/779/CEE, relativa a limitaciones para anhídrido sulfuroso y partículas en suspensión. (D.O.C.E. L n° 229, 30/8/80).

3.3.2. Directiva 82/884/CEE, sobre límites de plomo en la atmósfera. (D.O.C.E. L n° 378, 31/12/82)

3.3.3. Protocolo de Helsinki, de 1985, regulando emisiones de dióxido de azufre.

3.3.4. Directiva 85/203/CEE, sobre limitaciones del dióxido de nitrógeno. (D.O.C.E. L n° 87, 27/3/85).

3.3.5. Reglamento 3952/92/CEE, referente a sustancias que afectan a la capa de ozono.

3.3.6. Directiva 92/72/CEE, relativa a contaminación por ozono troposférico. (D.O.C.E. L n° 297, 13/10/92)

3.3.7. Directiva 94/1/CEE, sobre aproximación de legislaciones de Estados miembros sobre generadores de aerosoles. (D.O.C.E. L n° 23, 28/1/94)

3.3.8. Directiva 94/12/CEE, sobre contaminación atmosférica por vehículos a motor. (D.O.C.E. L n° 100, 19/3/94)

3.3.9. Reglamento 836/94, relativo a protección de bosques en la Comunidad contra contaminación atmosférica. (D.O.C.E. L n° 125, 18/5/94)

3.3.10. Directiva 94/66/CEE, limitanto emisiones de determinados agentes contaminantes (D.O.C.E. L n° 337, 24/12/94)

3.3.11. R. D. 2204/75 referente a carburantes y combustibles.

3.3.12. Orden de 28/2/85, limitando la contaminación por vehículos automóviles.

3.3.13. R. D. 717/87, de 27/5/87, referente a la contaminación por óxidos de nitrógeno y plomo.

3.3.14. Convenio de Viena, de 22/3/85, sobre protección de la capa de ozono (Instrumento de adhesión en B. O. E .16/11/88).
3.3.15. Protocolo de Montreal, de 16/9/87, relativo a protección de capa de ozono (Instrumento de adhesión en B. O. E. 17/3/89).
3.3.16. Convenio de Sofía, de 31/10/88, sobre emisiones de óxido de nitrógeno. (Instrumento de ratificación en B. O. E. 13/3/91).

3.4 CALIDAD DEL AIRE

3.4.1.   Ley 38/72, de 22/12/72, referente a la protección del ambiente atmosférico.
3.4.2.   R. D. 1154/86, de 11/4/86, sobre zonas de atmósfera contaminada.

4. RESIDUOS TÓXICOS PELIGROSOS Y RESIDUOS SÓLIDOS URBANOS

4.4.1.   Directiva 75/442/CEE, sobre residuos y aceites usados. (D.O.C.E. L n° 194, 25/7/75).
4.4.2.   Directiva 76/403/CEE, relativa a eliminación de bifenilos y trifenilos. (D.O.C.E. L n° 108, 26/4/76).
4.4.3.   Directiva 78/176/CEE, relativa a residuos de dióxido de titanio. (D.O.C.E. L n° 54, 25/2/78).
4.4.4.   Directiva 85/339/CEE, relativa a envases de líquidos para consumo humano. (D.O.C.E. L n° 176, 6/7/85).
4.4.5.   Directiva 86/278/CEE, sobre utilización de lodos de depuradoras en agricultura. (D.O.C.E. L n° 181, 4/7/86).
4.4.6.   Directiva 91/157/CEE, relativa a pilas y acumuladores. (D.O.C.E. L n° 78, 26/3/91).
4.4.7.   Directiva 91/689/CEE, referente a residuos peligrosos. (D.O.C.E. L n° 337, 31/12/91).
4.4.8.   Directiva 92/112/CEE, sobre reducción de contaminación por residuos de la industria del dióxido. (D.O.C.E. L n° 409, 31/12/92)
4.4.9.   Directiva 94/31/CEE, referente a residuos peligrosos. (D.O.C.E. L n° 168, 2/7/94)
4.4.10. Directiva 94/62/CEE, sobre residuos de envases. (D.O.C.E. L n° 365, 31/12/94)
4.4.11. Directiva 94/67/CEE, sobre incineración de residuos peligrosos. (D.O.C.E. L n° 365, 31/12/94).
4.4.12. Directiva 94/904/CEE, sobre relación de residuos peligrosos. (D.O.C.E. L n° 356, 31/12/94)
4.4.13. Ley 42/75, de 19/11/75, sobre desechos y residuos sólidos urbanos.
4.4.14. R. D. 1.163/86, de 13/6/86, sobre desechos y residuos sólidos urbanos.
4.4.15. Ley 20/86, de 14/5/86, sobre residuos tóxicos y peligrosos.
4.4.16. R. D. 833/88, de 20/7/88, sobre residuos tóxicos y peligrosos.
4.4.17. Orden de 28/2/89, sobre gestión de aceites usados.
4.4.18. Orden de 14/4/89, relativa a bifenilos y trifenilos.
4.4.19. Orden de 28/7/89, relativa a residuos de dióxido de titanio.
4.4.20. R. D. 1310/90, de 29/9/90, sobre uso de lodos de depuradora en agricultura.
4.4.21. R. D. 108/91, de 6/2/91, sobre control de contaminación por amiantos.
4.4.22. R. D. 319/91, de 8/3/91, sobre producción, comercialización y reciclado de envases para alimentos líquidos.
4.4.23. Orden de 20/2/95, sobre preparados peligrosos.

5. RUIDO

5.5.1.   Directiva 70/157/CEE, armonizando legislaciones de Estados miembros. (D.O.C.E. L n° 42, 23/2/70)

5.5.2. Directiva 74/2195/CEE, sobre emisión sonora de maquinaria de obras públicas. (D.O.C.E. 31/12/74)
5.5.3. Directiva 78/1015/CEE, relativa a nivel sonoro en escapes de motocicletas. (D.O.C.E. L n° 439, 13/12/78)
5.5.4. Directiva 79/113/CEE, referente a emisión sonora en aparatos y material en construcción. (D.O.C.E. L n° 33, 8/2/79)
5.5.5. Directiva 80/51/CEE, sobre emisiones sonoras por aeronaves subsónicas. (D.O.C.E. L n° 18, 24/1/80)
5.5.6. R. D. 1909/81, de 25/7/81, sobre condidiones acústicas de los edificios.
5.5.7. R. D. 873 /87, de 29/5/87, sobre emisiones sonoras de aeronaves subsónicas.
5.5.8. R. D. 245/89, de 27/2/89, sobre potencia acústica admisible en maquinaria de obra.
5.5.9. R. D. 1422 /92, de 27/11/92, sobre limitación del uso de aviones de reacción subsónicos civiles.

6. RESIDUOS AGRÍCOLAS, GANADEROS Y FORESTALES

6.6.1. Directiva 75/268/CEE, sobre agricultura de montaña y zonas desfavorecidas.
6.6.2. Directiva 76/895/CEE, sobre niveles máximos de residuos de plaguicidas.
6.6.3. Directiva 86/363/CEE, referente a límites de plaguicidas en comestibles.
6.6.4. Directiva 77/94/CEE, sobre normas fitosanitarias.
6.6.5. Directiva 91/676, sobre protección de aguas contra la contaminación por nitratos utlilizados en agricultura. (D.O.C.E. L n° 375, 31/12/91)
6.6.6. R. D. 1163/91, de 22/7/91, sobre análisis de fertilizantes.
6.6.7. R.D 877/91, de 31/5/91, sobre fertilizantes y afines.

7.COMBUSTIBLES LÍQUIDOS

7.7.1. Directiva 87/416/CEE, sobre contenido de plomo en gasolinas. (D.O.C.E. L n° 225, 13/8/87)
7.7.2. Directiva 93/12/CEE, sobre contenido de azufre en combustibles líquidos. (D.O.C.E. L n° 74, 27/3/93)
7.7.3. R. D. 2204/75, de 23/8/75, sobre carburantes y combustibles.
7.7.4. R. D. 667/87, de 30/4/87, sobre coque de petróleo.
7.7.5. R. D. 1485/87, de 4/12/87, sobre combustibles.
7.7.6. R. D. 1513/88, de 9/12/88, sobre contenido de plomo en gasolinas.
7.7.7. Orden de 29/6/90, sobre aditivos en gasolinas y gasóleos.

8. SUSTANCIAS Y PREPARADOS PELIGROSOS

8.8.1. Orden de 29/8/86, sobre transporte de mercancías peligrosas.
8.8.2. Orden de 31/7/87, sobre transporte de mercancías peligrosas por vía aérea.
8.8.3. Orden de 14/3/88, sobre determinación de las propiedades de las sustancias peligrosas.
8.8.4. R. D. 145/89, de 20/1/89, sobre manipulación y almacenamiento de mercancías peligrosas en puertos.
8.8.5. R. D. 74/92, de 31/1/92, sobre transporte de mercancías peligrosas por carretera.
8.8.6. Acuerdo europeo sobre transportes internacionales de mercancías peligrosas por carretera. (Instrumento de ratificación en B.O.E. 17/2/92).

9. FAUNA Y FLORA

9.9.1. Directiva 91/244/CEE, sobre conservación de aves silvestres. (D.O.C.E. L nº 115, 8/5/91)

9.9.2. Reglamento 926 /93, sobre protección de bosques. (D.O.C.E. L nº 100, 26/4/93)

9.9.3. Reglamento 1170/93, sobre protección de bosques contra incendios. (D.O.C.E. L nº 118, 14/5/93)

9.9.4. Reglamento 1534/93, sobre comercio internacional de especies amenazadas de flora y fauna silvestre. (D.O.C.E. L nº 151, 23/6/93)

9.9.5. Reglamento 400/94, creando un sistema europeo de información forestal. (D.O.C.E. L nº 54, 25/2/94)

9.9.6. Directiva 94/24/CEE, sobre conservación de las áreas silvestres. (D.O.C.E. L nº 164, 30/6/94)

9.9.7. R. D. 1497 /86, de 6/6/86, sobre conservación de especies de fauna.

9.9.8. R. D. 1095/89, de 8/9/89, declarando especies objeto de caza y pesca.

9.9.9. Orden de 29/9/89, sobre importación de pieles de determinadas crías de foca.

9.9.10. R. D. 439/90, de 30/3/90, sobre catálogo general de especies amenazadas.

9.9.11. R.D. 54/95, de 20/1/95, sobre protección de animales en el momento de su sacrificio.

Área: Unidad de superficie equivalente a 100 m^2.

Atmósfera: Unidad de presión que equivale al peso de una columna de mercurio de 760 mm. de altura y 1 cm^2 de sección.

1 atmósfera=1.013 milibares.

Bar: Unidad de presión que equivale a 10^6 dinas/cm^2.

Barril: Medida americana de capacidad, equivale aproximadamente a 158,98 litros, utilizada sobre todo para productos petrolíferos.

BTU (British Thermal Unit): Cantidad de calor necesario para elevar la temperatura de 1 libra de agua en 1 grado farenheit.

1BTU=1,05 kj=0,252 kcal.

Caloría (Cal): Unidad de medida de energía calorífica. Es la cantidad de calor necesario para elevar la temperatura de un gramo de agua de 14,5° C a 15,5° C a presión atmosférica normal. Equivale a 4,1868 J.

Centímetro cúbico (cc.): Unidad de volumen equivalente a 0,001 l.

Celsius: Grado de la escala termométrica dividida en 100°. (centígrado o centesimal)

Curio: Unidad de radiactividad que equivale a la cantidad de sustancia radiactiva en la que se verifican 3,7x10^{10} desintegraciones por segundo.

Decibelio (dB): Variación de nivel de una onda sonora sinusoidal pura estrictamente indispensable para ser acusada por el oído humano medio. Es una unidad adimensional que expresa la relación entre dos energías acústicas, eléctricas o mecánicas. dB=10 xlog (E/E$_0$), donde E$_0$ es un nivel de referencia correspondiente a 0,0002 bar, umbral de la audición humana.

Dina: Unidad de fuerza equivalente a 10^{-5} N.

Electrón-voltio (ev): Unidad de energía que equivale a 1,6x10^{-19} J.

Farenheit (F): Unidad de temperatura. °F= 9/5 °C +32

Gasohol: Gasolina que contiene un 10% de etanol (alcohol de etano).

Hectárea (Ha): Unidad de superficie que equivale a 10.000 m^2.

hv: Energía de un fotón de frecuencia v. (h es la constante de Planck).

Julio (J): Unidad de energía que equivale a 0,24 calorías.

Kelvin (K): Unidad de temperatura. $^\circ K = 273,1 + {}^\circ C$.

Micra: Unidad de longitud equivalente a 10^{-6} m.

Milímetro de mercurio (mm. Hg): Unidad de presión que equivale al peso de una columna de mercurio de altura de 1 mm y 1 cm^2 de sección.

Milla: Medida de longitud equivalente a la longitud de un arco de ecuador terrestre de un minuto de ángulo. Equivale a 1.852 m.

Nudo: Unidad de velocidad equivalente a 1 milla/h.

Partes por millón (ppm): Unidad que expresa la concentración de un determinado componente en un medio.

REM (Roentgen equivalent man): Unidad usada para medir el efecto biológico de una radiación radiactiva. Equivale a 0,01 Sievert.

Sievert: Cantidad de cualquier radiación con el mismo efecto biológico que el producido por 1 J de rayos X o rayos gamma por un tejido del cuerpo de 1 k de peso.

Tep: Tonelada equivalente de petróleo: 11.600 kw/h, que es la cantidad de energía que se puede obtener quemando una tonelada de petróleo.

Tonelada métrica: Unidad de masa equivalente a 1.000 kg.

Vatio (W): Unidad de potencia que equivale a 1J/1s.
Otra equivalencia: 1 kw/h = 860 kcal.

MÚLTIPLOS

hexa = 10^{18}
tera (T) = 10^{12}
giga (G) = 10^{9}
mega (M) = 10^{6}
miria (ma) = 10^{4}
kilo (K) = 10^{3}
hecto (h) = 10^{2}
deca (da) = 10

Divisores:
deci (d) = 10^{-1}
centi (c) = 10^{-2}
mili (m) = 10^{-3}
micro (u) = 10^{-6}
nano (n) = 10^{-9}
pico (p) = 10^{-12}

TABLA DE LOS ELEMENTOS (MENDELEIEV)

Sólidos a temperatura ambiente:

Litio (Li), sodio (Na), potasio (K), rubidio (Rb).
Berilio (Be), magnesio (Mg), calcio (Ca), estroncio (Sr), bario (Ba), radio (Ra).

Escandio (Sc), titanio (Ti), vanadio (Va), cromo (Cr), manganeso (Mn), hierro (Fe), cobalto (Co), níquel (Ni), cobre (Cu), cinc (Zn).
Yodo (I), circonio (Zr), niobio (Nb), molibdeno (Mo), rubidio (Rb), rhodio (Rh), paladio (Pd), plata (Ag), cadmio (Cd).
Lantano (La), Hafnio (Hf), tantalo (Ta), wolframio (W), renio (Re), osmio (Os), iridio (Ir), platino (Pt), oro (Au), actinio (Ac).

Líquidos a temperatura ambiente:

Cesio (Cs), francio (Fr),
mercurio (Hg), galio (Ga), bromo (Br).

Gases a temperatura ambiente: Hidrógeno (H), nitrógeno (N), oxígeno (O), flúor (F), cloro (Cl), helio (He), neón (Ne), argón (Ar), kriptón (Kr), xenón (Xe), radón (Rn).

Tierras raras o lantánidos:

Cerio (Ce), disprosio (Dy), erbio (Er), escandio (Sc), europio (Eu), gadolinio (Gd), holmio (Ho), iterbio (Yb), itrio (Y), lantano (La), lutecio (Lu), neodimio (Nd), praseodimio (Pr), prometio (Pm), samario (Sm), terbio (Tb), tulio (Tm).

FÓRMULAS MENCIONADAS

ADN:	Ácido desoxirribonucléico.
C_3H_8:	Propano.
$C_6H_{12}O_6$:	Glucosa.
$Ca_3(PO_4)_2$:	Fosfato cálcico.
C_nH_{2n+2}:	Fórmula genérica de un hidrocarburo.
CO:	Monóxido de carbono.
CO_2:	Dióxido de carbono.
$C_x(H_2O)_y$:	Fórmula genérica de un carbohidrato.
CH_3OH:	Metanol.
CH_4:	Metano.
H_2CO_3:	Ácido carbónico.
H_2O:	Agua.
H_2SO_4:	Ácido sulfúrico.
H_3PO_4:	Ácido fosfórico.
HNO_3:	Ácido nítrico.
N_2:	Nitrógeno diatómico.
NH_3:	Amoníaco.
NO:	Monóxido de nitrógeno.
NO_2:	Ión nitrito.
NO_3:	Ión nitrato.
NO_x:	Fórmula genérica de óxido de nitrógeno.
O_2:	Oxígeno diatómico.
PO^3_4:	Ión ortofosfato.
SO_2:	Dióxido de azufre.
SO_3:	Trióxido de azufre.
SO_x:	Fórmula genérica de óxido de azufre.

Otras obras afines publicadas por

editorial Paraninfo

Análisis de los contaminantes del aire

Warner

Esta obra se ha preparado en respuesta a la necesidad de presentar esta información de una manera organizada y se dirige no sólo a licenciados y estudiantes de licenciatura en Ciencias como un programa de estudio, y como manual de referencia en la toma de muestra y en análisis de muestra de aire en el ambiente urbano, sino también a todos los interesados en el tema de la conservación del medio ambiente. Se dedica un cierto espacio a la descripción del origen y propiedades de los contaminantes del aire comunes y algo menos comunes.

La química y la protección del medio ambiente

Leithe

El presente libro que ha acometido el problema desde el prima de la química, no ha limitado su punto de vista al mundo del químico, técnico o higienista, sino que ha abierto sus puertas a otras personas procedentes a la economía y de la administración.

Sirve de regla necesaria y de presupuesto en toda consideración científica y cuya integración debiera estar hoy más presentes en los programas de nuestras escuelas generales. El libro quiere dar cuenta del bloque de químicos comprometidos en uno y otro campo, así como de sus respectivas aportaciones al campo de la protección del medio que resulten indispensables en la actualidad para cada químico en particular.